改訂版

日本語能力試験 N1〜N3の
重要表現を網羅

どんなとき
どう使う
日本語
表現文型
500

500 Essential
Japanese Expressions:
A Guide to Correct
Usage of Key
Sentence Patterns

友松悦子・宮本 淳・和栗雅子

はじめに

　初級を終えて中級に入った学習者は、論理的な文章を読んだり、書いたり、微妙な気持ちや感動を表現したりする時に使われる、より高度な日本語を習得したいと願います。そのような学習者から次のような声が聞かれます。本や新聞などを読んでいると新しい言葉が出てくるが、文法的な言葉は辞書で引こうとしても、辞書には出ていない、いい参考書はあるが、言葉の数が少ない、などです。また、大学や専門学校のための日本語予備教育課程で学びつつ、日本語能力試験の準備をしている学習者からも、問題集や直前対策などの教材だけではなく、中・上級で学ぶ文型の全体を見通しつつ、計画的に落ち着いて学習できる教材が欲しい……という希望が聞かれます。

　このような中・上級の学習者の要望に応えたく、わたしどもは、1996年9月に、この『どんな時どう使う日本語表現文型500』をまとめました。これは、私どもが現場で得た経験を生かし、学習者のお役に立つよう、長年使用してきた自主教材を基にまとめたものです。

　さて、このたび『どんな時どう使う日本語表現文型500』の改訂版を発行する運びとなりました。改定に当たって幾つかの点に留意しました。まず、2010年よりの日本語能力試験の改定に当たって示されたＮ5～Ｎ1のレベル分けについて、私どもは現場での経験や関連の書物から学んだことを基に、独自に❺～❶を設定いたしました。本書では、このうち❸～❶を扱っています。例文は各レベルに合わせて大幅に手を加えました。各課の後に続く練習問題は、各レベルの学習者が学習しやすいようにレベル別に設定し、マークで表示しました。練習問題は学習しやすいように、より基本的なものからより高度なものへと並んでいます。

　この教材の初版発行の際には、国立国語研究所（当時）の佐々木倫子先生に非常に有益なご助言とお励ましをいただきました。心より感謝申し上げます。

　この改訂版作成に当たり、株式会社アルク日本語・マルチリンガル事業部の新城宏治氏、日本語書籍編集部の立石恵美子さんには、一方ならぬお世話になりました。深く感謝いたします。

　この学習書が、日本語を学ぼうとしている方々のお役に立つことを心から願っております。

2010年6月

友松悦子

宮本　淳

和栗雅子

目次 CONTENTS 目录 목차

はじめに……3

本書の目的……8

本書をお使いになる方々へ
　　　　　　　　……8
　1　本書の特徴と方針
　2　各課の構成

記号について……11

本書を使って学習する方々へ
　　　　　　　　……11

接続の形について……12

1　行為の対象 〜について／〜に対して……13
Objects of Action
动作行为的对象
동작의 대상

2　目的・手段・媒介 〜ように／〜によって……18
Purpose / Means / Media
目的，手段，媒介
목적 / 수단 / 매개
　Ⅰ　目的　　Ⅱ　手段・媒介

3　起点・終点・限界・範囲 〜をはじめ／〜にわたって
　　　　　　　　　　　　　……24
Starting and Ending Points / Limits / Range
起点，终点，界限，范围
기점 / 종점 / 한계 / 범위

4　時点・場面 〜に際して／〜において……32
Time and Place of Action
动作的时间，场合
시점 / 장면

5　時間的同時性・時間的前後関係 〜たとたん／〜うちに
Concurrent Actions / Sequential Actions　　……38
动作同时发生，动作先后发生
시간적 동시성 / 시간적 전후관계
　Ⅰ　時間的同時性　　Ⅱ　時間的前後関係

6　進行・相関関係 〜一方だ／〜につれて……49
Progressive Actions / Correlations
动作的进行，动作之间的关系
진행 / 상관관계
　Ⅰ　進行　　Ⅱ　相関関係

7　付帯・非付帯 〜ついでに／〜ぬきで……56
With / Without
附带，不附带
부대 / 비부대

8　限定 〜に限り……61
Limiting Conditions
限定
한정

9 非限定・付加 〜ばかりでなく／〜上に……66

Non-limitation ／ Additions
非限定，附加
비한정 / 부가

 Ⅰ 非限定　　Ⅱ 付加

10 比較・程度・対比 〜くらいなら／〜どころか……75

Comparison ／ Degree ／ Contrast
比较，程度，对比
비교 / 정도 / 대비

 Ⅰ 比較・程度　　Ⅱ 対比

11 判断の立場・評価の視点 〜にとって／〜にしては……87

Standpoint of Judgment ／ Viewpoint of Evaluation
判断的立场，评价的视点
판단의 입장 / 평가의 시점

 Ⅰ 判断の立場　　Ⅱ 評価の視点

12 基準 〜に基づいて……96

Basis of Action
基准
기준

13 関連・対応 〜に応じて／〜をきっかけに……102

Dependency ／ Correspondence
关联，对应
관련 / 대응

14 無関係・無視・例外 〜を問わず／〜はともかく……109

Unrelated Conditions ／ Exceptions
无关，无视，例外
무관계 / 무시 / 예외

15 例示 〜とか〜とか……116

Giving Examples
举例
예시

16 程度の強調 〜さえ／〜こそ……123
Emphatic Expressions
对程度的强调
강조

強調Ⅰ　　強調Ⅱ

17 話題 〜というのは……132
Topics
话题
화제

18 逆接・譲歩 〜ものの／〜とはいうものの……139
Contradiction ／ Concession
逆接，让步
역접 / 양보

19 原因・理由 〜ばかりに／〜からには……149
Causes ／ Reasons
原因，理由
원인 / 이유

原因・理由Ⅰ　　原因・理由Ⅱ

20 仮定条件・確定条件 〜としたら／〜となると……163
Hypothetical Conditions ／ Definite Conditions
假定条件，确定条件
가정조건 / 확정조건

21 逆接仮定条件 〜たところで……172
Adversative Hypothetical Conditions
逆接假定条件
역접의 가정조건

22 不可能・可能・困難・容易 〜ようがない／〜得る……178
Impossibility ／ Possibility ／ Difficulty ／ Easiness
不可能，可能，困难，容易
불가능 / 가능 / 곤란 / 용이

23 傾向・状態・様子 〜がち／〜だらけ／〜げ……184
Tendency ／ Condition ／ Appearance
倾向，状态，情况
경향 / 상태 / 모습

Ⅰ　傾向・状態　　Ⅱ　様子

目次

24 経過・結末 〜あげく／〜次第だ……192
Process ／ Conclusion
经过，结果
경과 / 결말

 Ⅰ 経過 Ⅱ 結末

25 否定・部分否定 〜はずがない／〜わけではない……203
Negatives ／ Partial Negatives
否定，部分否定
부정 / 부분부정

 Ⅰ 否定 Ⅱ 部分否定

26 伝聞・推量 〜ということだ／〜かねない……212
Conveying Information ／ Expressing Certainty and Uncertainty
传闻，推测
전문 / 추량

 Ⅰ 伝聞 Ⅱ 推量

27 心情の強調・避けられない心情や行動 〜てたまらない／〜ざるをえない……219
Emphasizing Feelings ／ Compulsion
强调某种感情，不得不作的事情或那时的感情
감정의 강조 / 피할 수 없는 심정과 행동

28 誘い・勧め・注意・禁止 〜こと／〜ものだ／〜べきではない……228
Invitations ／ Advice ／ Warnings ／ Prohibitions
邀请，建议，提醒，禁止
권유 / 추천 / 주의 / 금지

29 主張・断定的評価 〜にほかならない／〜にきまっている……234
Assertion ／ Assertive Evaluation
主张，判断性的评价
주장 / 단정적 평가

30 感嘆・願望 〜ことに／〜たいものだ……240
Exclamatory Expressions ／ Expressing Wishes
感叹，愿望
감탄 / 희망

索引（50音順）……248
練習問題の解答……247
参考文献……259

本書の目的

　初級の学習項目を終えた学習者は、論理的な文章を読んだり書いたり、微妙な気持ちや感動をうまく表現したりするときに使われる、より高度な日本語の言い方を学習したいと願う。
　この学習書は、そうした中・上級の文法形式を体系的に学びたいと思っている学習者のために作られたものである。それぞれに微妙な特徴を持つ文法形式を学び、運用する力を付けたいと思ってこつこつと勉強している方々にはお役に立つものと信じている。
　この学習書が使われる場面としては、例えば、教科書に沿って中級以上の語彙や文法を積み上げつつ勉強する日本語学校で、中級の学習がある程度進んでから中級文法のまとめのための副教材として使うということが考えられる。また、日本語能力試験を目指して勉強している学生の大勢いる日本語学校で、その対策のための授業で使用するのも一案である。学習者が自習用、独習用の教材として使用することもできるであろう。

本書をお使いになる方々へ

1　本書の特徴と方針
[意味による分類]
本書は、1994年に国際交流基金・日本国際教育協会（当時）から発表された（2002年改訂）日本語能力試験（文法）の出題基準サンプル（文法的な〈機能語〉の類）を参考にし、そのほかに、数種類の教科書（参考文献参照）の中で重要学習項目として取り上げられているもの、これまで能力試験に出題されたものなどを整理して編集された。
執筆者らは、2010年から改訂される日本語能力試験のレベル（N5～N1）を考慮し、これらの項目を独自の判断でレベル分けして本書に掲載した。

　学習者が文法形式をまとめて勉強しようとするとき、さまざまなものが脈絡なく次々と出てくるよりは、何かのまとまりをもって体系的に提出されている方が学習の助けになると考え、文法形式を意味によって分類して1つの課を構成した。各課の題はその課の項目の代表的な意味機能を考えて付けたが、その用語（例：7 付帯・非付帯　など）については、ご批判を仰ぎたい。

1つの文法形式の意味・機能は1つではない。例えば、「～ながら」は、初級の学習項目である「同時進行」と、中級の学習項目である「逆接」の2つの意味・機能を持つ。しかし、この2つの意味は孤立して存在しているのではなく、連続的にその意味をカバーしている。

　また、「～にきまっている」は、確信に近い推量を表す文法形式であるとともに、断定的発言を表すものとも考えられる。「～はずがない」は「推量」と分類した方がいいのか、「否定」と分類した方がいいのか、どこで線を引いて分類するのかは極めて難しい問題である。しかし、執筆者らの立場としては、学習者が学習する際に取っ付きやすく、わかりやすいようにということを第一に考え、あえて分類を試みた。そのため学習者の混乱を招かないように配慮し、それぞれの典型的な例を出して分類するという方法を取った。1つの文法形式が複数の意味・機能を持つ場合は、それぞれのグループに収めた。例えば、「～によって」は、次の3つの課に収めた。

・話し合いによって解決する。　　　　　手段　　　2課Ⅱ・1
・その日の気分によって服を変える。　　関連　　　13課1
・津波によって大きな被害が出た　　　　原因　　　19課Ⅰ・1

［文法的性質についての記述］
　文法形式を学習する上で必要なことは、まず、意味と機能を理解することである。さらに、自分で使えるようになるためには、それを使う場面・接続のしかた・使われる動詞の種類などについての知識を持ち、接続する言葉の制限や文末の制限などについての文法的な性質についても知る必要がある。執筆者らは、それぞれの現場の経験から、学習者のわかりにくいところや間違いやすいところを押さえて、できるだけ簡単明瞭に文法的性質を解説しようと試みた。

［例文］
　各文法形式について3～5つの例文を載せた。まず、典型的な例文を紹介し、ほかに、接続する品詞・時制・使われる場面・話題などが偏らないように、可能なかぎりさまざまなものを提示できるように試みた。各例文は基本的に普通体の書き言葉のものを主としたが、当然ながら書き言葉には丁寧体のものもあるので、手紙・テレビなどのニュース報道・スピーチ・会議の報告などに使われるものも丁寧体の書き言葉として取り入れてある。

[👀「知っていますか」✍️「使えますか」（各課の1ページ目）と「練習問題」（各課の最後）]

　各課に入る前にその課で学ぶべきことをどの程度知っているかを試してみる👀「知っていますか」と✍️「使えますか」を設けた。その課にまとめられた意味・機能を持つ文法形式をどのくらい知っているか、知っているだけでなく適切に使えるかを試す性質のものである。問題は③、②程度のものだけに限定して作ってある。👀「知っていますか」はそれらの文法形式を知っているかどうかのチェックであり、✍️「使えますか」は適切な使い方ができるかどうかのチェックである。さらに、その課で学習したことの確認のために、本文の終わりに練習問題を付けた。その課で学んだ文法形式が適当なところで使えるか・その文法形式を使って短文完成ができるか・文法的な性質についての知識が身に付いたか・あるまとまりのある文章（談話）の中でその文法形式が使えるか、などを確認するためのものである。

[その他]

　文法の力を養うための学習書であるから、説明の文の語彙はなるべく学習者の負担にならないようにした。漢字の提出については、漢字圏の学習者が本書の内容を容易に理解できるようにするため、また、非漢字圏の学習者にはなるべく漢字に慣れる機会を提供する意味もあり、レベルに合わせて読み仮名を付けた。

2　各課の構成

- 👀✍️　　　　　その課にまとめられた文法形式について、どの程度の基礎知識があるかを問うもの。（答えは次のページの下）
- 文法形式一覧　その課で学習する文法形式一覧。レベル別に分けて提示。レベルごとに学習しやすいと思われる順に提示した。
- 本文　　　　　見出し語
　　　　　　　　その言い換え………………【　　】
　　　　　　　　使われる場面について……✏️📖📰
　　　　　　　　例文…………………………① ② ③〜
　　　　　　　　接続…………………………◦─◦
　　　　　　　　文法的性質と意味的特徴………▶
- 練習　　　　　その課で学習したことをチェックするためのもの。レベル順に段階的に並べてある。問題の種類はいろいろで、談話単位の中でどう使われるかという点を確認する問題も取り入れた。（答えは巻末）

記号について　各記号は次のような意味を表す。

- **3** **2** **1**　それぞれのレベルの文型
- 🗨　主として話し言葉
- ✏　主として書き言葉
- 👔　主として改まった言い方
- 🔗　接続
- →　同じ形だが違う意味のもので、ほかの課に入っている。

本書を使って学習する方々へ

　本書は1課から30課まであります。後半の課になると、話す人の気持ちや態度が含まれる文法形式が多くなってきます。1課から順番に進んでいくのもいいし、順番どおりでなくてもいいと思います。

〈🗨「知っていますか」　🗨「使えますか」〉

　どの場合でも、まず🗨と🗨をやってみましょう。これは、その課で学ぶことの基礎的な知識がどの程度まで進んでいるかを自分でチェックするものです。🗨は「〜と言いたいとき」のいろいろな文法形式をどのくらい知っているかを問うものです。いちばんいい言葉を選んで＿＿＿＿の上に入れてください。1つの言葉は1回しか使いません。次に🗨に進んでください。これは適切な使い方ができるかどうかを問うものです。使い方が適切な文のほうに○をつけてください。

　中級以上の文法形式は、接続する言葉や文の終わり方などにさまざまな制限があります。接続のし方も文法形式によっていろいろです。そうした制限を守らないと適切な使い方ができません。ここの問題を間違えた人は、本文の▶を注意して読んでください。どの課も10問あります。10問中、4問以上間違いのある人はその課を特にていねいに学習しましょう。

〈本文〉

　まずその課で学習する文法形式にはどんなものがあるかを見てみましょう。項目は学習しやすい順に並んでいますから、順を追ってその課の本文を読み進んでいくことをおすすめします。

　まず、【　】を読んでください。やさしい言葉で言い換えた場合の「意味」が書いてあります。次に例文を読んでください。例文を読むときは、どんな性質の言葉、どんな品詞に接続しているか、文の終わり方はどうなっているかなどにも注意しながら読んでください。

　▶にはその文法形式の意味的特徴や文法的な性質が書いてあります。その文型を使って自分で文を作るときの注意点です。

　次に練習問題に進んでください。これはその課で学習したことを理解できたかどうかをチェックするためのものです。あるまとまりをもった少し長い文章の中で、習った文法形式をどう使うかを練習する問題もあります。手紙、作文、論文などを書くときの参考にしてください。

接続の形について

接続のし方は、下の表のような用語で記した。
（あまり使われない接続は取り上げていない）

活用形と品詞の記号		例
N	名詞	りんごはみかんより
Vる	動詞の辞書形	行くつもりだ
V~~ます~~	動詞の（ます）形	歌いながら
Vない	動詞のない形	見ないでください
V~~ない~~	動詞の（ない）形	かさを持たずに
Vて	動詞のて形	あらってから
Vた	動詞のた形	会ったことがある
Vよう	動詞の意志形	帰ろうと思う
Vば	動詞の仮定形	薬を飲めば
Vたり	動詞のた形＋り	本を読んだり
Vたら	動詞のた形＋ら	雨が降ったら
イAい	イ形容詞の辞書形	おいしいと思う
イA~~い~~	イ形容詞の語幹	おいしそうだ
イAく	イ形容詞の語幹＋く	あつくなった
ナA	ナ形容詞の語幹	元気になりました
する動詞		食事する、散歩する、コピーする、など
する動詞のN		食事、散歩、など
動詞Ⅰ	5段動詞	行く、取る、会う、など
動詞Ⅱ	1段動詞	着る、寝る、食べる、など
動詞Ⅲ	不規則動詞	する、来る
普通形	動詞	行く、行かない、行った、行かなかった
	形容詞	さむい、さむくない、さむかった、さむくなかった
	ナ形容詞	元気だ、元気ではない、元気だった、元気ではなかった
	名詞	雨だ、雨ではない、雨だった、雨ではなかった

〈接続の例〉 活発な姉に対して、妹は静かなタイプです。（10課Ⅱ・1）
　　　　　 日本海側では、冬、雪がよく降るのに対して、太平洋側では晴れの日が続く。
　　　　　 ◯◯ N／普通形（ナAな・ナAである／Nな・Nである）＋の ＋に対して

この場合、名詞には直接接続する、または、普通形には「の」をつけて接続する、という意味です。
ただし、普通形は、後に（　）がある場合には、上の表の「普通形」の形ではなく、（　）の中の形になります。

・活発な姉に対して、…　　　　　　　　→N
・姉が活発なのに対して、…　　　　　　→普通形（ナAだ→ナAな）＋の
・姉が活発であるのに対して、…　　　　→普通形（ナAだ→ナAである）＋の
・姉が活発なタイプなのに対して、…　　→普通形（Nだ→Nな）＋の
・姉が活発なタイプであるのに対して、…→普通形（Nだ→Nである）＋の
・日本海側では、冬、雪がよく降るのに対して、…　→普通形＋の

1 行為の対象

Objects of Action
动作行为的对象
동작의 대상

行為が向かう相手やものごとを示したいときは、どんな言い方がありますか。

知っていますか

a について　b に対して　c 向きに　d にこたえて　e をめぐる

1. わたしは日本の民謡＿＿＿調べている。
2. 大会ではみんなの期待＿＿＿、精いっぱいがんばろうと思います。
3. デパートの店員はお客様＿＿＿、できるだけ丁寧な言葉を使わなければならない。
4. ダム建設の問題＿＿＿さまざまな議論は簡単にはまとまらないだろう。
5. このバッグは本やノートがたくさん入ります。教師のわたし＿＿＿デザインされているので気に入っています。

使えますか

1. わたしはあの人に対して、
   - a 失礼な態度をとってしまいました。
   - b 変なうわさを聞きました。

2. わたしのアパートは
   - a 南向けだから、日当たりがいい。
   - b 独身者向けだから、あまり広くない。

3. わたしはあの人に関して、
   - a 何も知らないのです。
   - b あまり好きではありません。

4.
   - a 社員たちの要望にこたえて、
   - b 社長の反対にこたえて、

   社員旅行は2泊3日と決定した。

5. 土地の問題をめぐって、
   - a あなたにお話ししておきたいことがあります。
   - b 兄弟の争いが続いている。

答えは次のページにあります。

13

行為の対象　行為が向かう相手やものごとを示したいとき

```
3                          2                     1
1  ～について            5  ～に関して・～に関する    8  ～にかかわる
2  ～に対して・～に対する   6  ～にこたえて・～にこたえる
3  ～向け                7  ～をめぐって・～をめぐる
4  ～向き
```

1　～について【～のことを】

①この町の歴史について調べています。
②田中さん、この番組についてどう思われますか。
③この本にはトマトの育て方について詳しく書いてある。
④兄は文学についてはまったく無関心なんです。

　　N ＋について

▶話す・聞く・考える・書く・調べるなどの行為の対象を言うときに使う。

2　～に対して・～に対する【～に／～を相手として】

①この老人ホームのスタッフたちは、お年寄りに対してほんとうにやさしいです。
②今のランさんの発言に対して、何か意見のある方は手を上げてください。
③ご迷惑をおかけした方々に対しまして、心からおわびいたします。
④鈴木先生に対するわたしの気持ちは昔も今も変わりません。

　　N ＋に対して

▶「何に向かってそうするか・そう感じるか」を言うとき、その直接の相手や対象を示す。

3　～向け【～のために】

①これは幼児向けに書かれた本です。

---

1. a　2. d　3. b　4. e　5. c　　　1. a　2. b　3. a　4. a　5. b

1 行為の対象

②1人暮らしの女性向けのマンションはありませんか。

③この『東京案内』は外国人向けだが、日本人が読んでもとてもおもしろくて、ためになる。

∞ N ＋向け

▶「～を対象として・～のために」と言いたいときに使う。

4 ～向き【～にちょうど合うように】

①当店では10代の女性向きに作ったかわいいアクセサリーを扱っております。

②お年寄り向きの料理にはどんなものがありますか。

③この家の台所は広いし、明るいし、使いやすそうで、大家族向きですね。

∞ N ＋向き

▶「その対象にちょうど合うように・その人が気に入るように」という意味で使われる。

5 ～に関して・～に関する【～に関係することを】

①この町の騒音問題に関してもう少し考える必要がある。

②この件に関しては現在調査しております。結論が出るまでもうしばらくお待ちください。

③今、わたしたちは自然災害に関しての資料を集めています。

④この論文は日本の政治史に関する部分の調べ方が少し足りない。

∞ N ＋に関して

▶話す・聞く・考える・書く・調べるなどの行為の対象を言うときに使う。1「～について」と意味・用法は大体同じだが「～について」より硬い表現。

6 ～にこたえて・～にこたえる【～に沿うように】

①住民の要望にこたえて、この町にスポーツ施設が建設されることになった。

②聴衆のアンコールにこたえて、指揮者はふたたび舞台に姿を見せた。

③政府には、国民の期待にこたえるような有効な解決策を出してもらいたい。

∞ N ＋にこたえて

15

▶質問・期待・要望などを表す名詞につき、「それに沿うような行為をする」と言いたいときに使われる。

7　～をめぐって・～をめぐる【～を議論や争いの中心点として】

①マンション建設をめぐって、住民たちと建設会社との対立が続いている。
②彼の急死をめぐって、みんながいろいろなうわさをしている。
③町の再開発をめぐり、討論が3日続いた。
④宇宙開発をめぐる各国の競争はさらに激しくなってきた。

　　N　＋をめぐって

▶「そのことについて、どんな議論や対立関係が起こっているか」を言うときに使う。後には、意見の対立・いろいろな議論・争い・競争などの意味を持つ動詞が来ることが多い。やや硬い表現。

8　～にかかわる【～のような重大なことに影響を及ぼす】

①父はこれまで3度も命にかかわる病気をした。
②プライバシーを守るということは人権にかかわる大切な問題です。
③教育は国の将来にかかわる大事業ではないでしょうか。

　　N　＋にかかわる

▶「～にかかわるN」の形で「ただ～に関係があるのでなく、～に重大な影響を及ぼすN」と言いたいときの表現。

練習　1　行為の対象

A　どちらが正しいですか。正しい方の記号を○で囲みなさい。

1．あなたの林さんに（a　対して　　b　対する）尊敬心はいつごろからのものですか。
2．これは若い人（a　向けに　　b　向けの）デザインされた服だけれど、母にもとてもよく似合う。
3．地元の人たちの期待に（a　こたえて　　b　こたえる）ような活躍をしたいと思

1　行為の対象

います。
4．事故の原因に（a　関して　　b　関する）ただ今調査中です。
5．この空き地の利用法を（a　めぐって　　b　めぐる）まだ両者の対立が続いている。

B　☐の中の言葉を使って、次の文を完成させなさい。1つの言葉は1回しか使いません。

| a　について | b　に対する | c　向けの |
| d　に関する | e　にこたえて | f　をめぐって |

わたしは人間の命と生き方1＿＿＿本をよく読んでいる。最近読んだこの本は、7、8歳ぐらいの子ども2＿＿＿本で、やさしく書かれている。もっともほんとうに子どものためになるものかどうか3＿＿＿は、いろいろ議論があったようだ。この本を書いたAという作家4＿＿＿わたしはよく知らなかったが、本の中の「病気5＿＿＿反抗心より、病気と友だちになる心を持つことが大切だ」という言葉にはたいへん励まされた。この作家には、これからも読者の期待6＿＿＿、いい作品を書いてほしいと思う。

C　☐の中の言葉を使って、次の文を完成させなさい。1つの言葉は1回しか使いません。

| a　要求 | b　人命 | c　病気 |
| d　子ども | e　財産問題 | |

1．その＿＿＿についてインターネットで調べてみました。
2．＿＿＿にかかわる大切な問題だから、よく聞きなさい。
3．学校側は、学生たちの＿＿＿にこたえて討論会を行うことになった。
4．この服は汚れても洗えばすぐきれいになるので、外遊びが好きな＿＿＿向きです。
5．＿＿＿をめぐってまだ話し合いが続いている。

17

2 目的・手段・媒介

Purpose／Means／Media
目的、手段、媒介
목적／수단／매개

ものごとが行われる目的や手段や方法、その間で役目を果たす人やものを言いたいときは、どんな言い方がありますか。

知っていますか

a　によると　　b　ように　　c　を通じて　　d　によって　　e　上で

1. 約束の時間に遅れない＿＿＿、早く家を出た。
2. 小林さんの話＿＿＿、駅前にスポーツセンターができるそうだ。
3. 木村さんとは共通の友人＿＿＿知り合ったんです。
4. 調査を進めていく＿＿＿、関係者全員から意見を聞くことが必要だ。
5. 農家の努力＿＿＿今年のりんごの生産量は増えています。

使えますか

1. 上野には ｛ a 地下鉄よりJR線で / b 地下鉄よりJR線によって ｝ 行く方が便利でしょう。
2. この広告によれば、｛ a 新しいゲームソフトが発売されると書いてある。/ b 新しいゲームソフトが発売されるそうだ。｝
3. 旅行の切符やホテルの予約は、｛ a 旅行会社を通しての / b 旅行会社を通して ｝ 予約が簡単で便利です。
4. ｛ a 小学生とテレビの関係について調査するために / b 小学生とテレビの関係について調査するように ｝ アンケートを行うことにした。
5. 外国語を勉強する上で ｛ a テレビをさっそく買った。/ b テレビはかなり役に立つ。｝

答えは次のページにあります。

2 目的・手段・媒介

Ⅰ 目的　あることを目指して、またはあることをするために、と言いたいとき

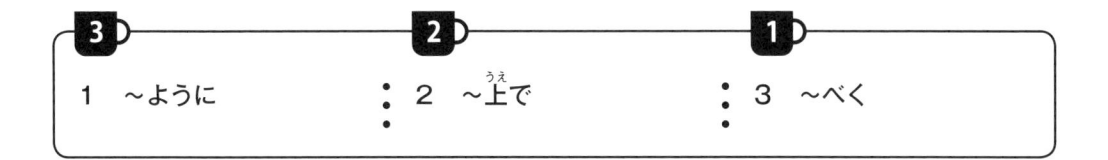

3	2	1
1　～ように	2　～上で	3　～べく

Ⅰ・1　～ように　【～という目的が実現することを期待して】

①子どもでも読めるように、漢字の上にふりがなが書いてあります。
②飛行機の中から富士山がよく見えるように、窓側の席にすわった。
③外国からの客が困らないように、店には英語や中国語がわかる店員がいる。
④工事中、歩行者が安全なところを通るように、係りの人が案内している。

　　Vる・Vない　＋ように

▶ 1)「～」には話す人の意志を表さない動詞（無意志の動詞や可能の意味を表す動詞など）が来る。

　2）④のように、「～ように」の前後の主語が違う場合は、意志を含む動詞も来る。

→12課1「～ように・～ような」

Ⅰ・2　～上で　【～のに】

①今度の企画を成功させる上で、ぜひみんなの協力が必要なのだ。
②人々の社会的な行動や目標などについての傾向を知る上で、アンケート調査は欠かせない。
③これはこの食品を保存する上での注意点です。よくお読みください。
④理科の学習の上で大切なことは、身の回りのことに疑問を持つことだという。

　　Vる／する動詞のNの　＋上で

▶「～上で…」の形で、「～」に積極的な目的を示し、「…」にその目的や目標に必要なこと、大切なことなどを述べる。行為を表す文は来ない。

　　×　生け花教室に入会する上で、申込書に名前を書いた。

　　○　生け花教室に入会する上で、なにか用意するものがありますか。

→5課Ⅱ・5「～上で」

---

1. b　2. a　3. c　4. e　5. d　　　1. a　2. b　3. a　4. a　5. b

Ⅰ・3 〜べく 【〜ようと思って】 ❶

①会議での決定事項を知らせるべく、メーリングリスト上の20名にメールを送った。
②田中氏は記者会見場に向かうべく、上着を着て部屋を出た。
③父は海外出張の前に投票を済ませるべく、区役所の「期日前投票所」へ行った。
④彼女は新しい気持ちで再出発するべく、海外支援活動の募集に応募した。

Vる ＋べく（「する」は「すべく」もある）

▶ 1)「ある目的をもってそうした」と言いたいときに使う。硬い表現ではあるが、現代語でも使われる。　2) 後の文にはこれから行うことや、依頼・命令・働きかけを表す文は来ない。
　　×この書類を会議に提出するべく、コピーをお願いします。
　　○課長はその書類を会議に提出するべく、徹夜で完成させた。

Ⅱ　手段・媒介

ものごとが行われる手段や方法、その間で役目を果たす人やものを言いたいとき

❸　　　　　　　　　　　❷　　　　　　　　　　　❶
1　〜によって・〜による　　　　　　　　　　　　4　〜をもって
2　〜によると・〜によれば
3　〜を通じて・〜を通して

Ⅱ・1　〜によって・〜による 【〜の方法で】 ❸

①その問題は話し合いによって解決できると思います。
②アンケート調査によって学生たちの希望や不満を知る。
③ボランティア活動に参加することにより、自分自身も多くのことを学んだ。
④小学生の間でも携帯電話によるコミュニケーションが盛んだ。

N ＋によって

▶ 1)「Nによって…」の形で「Nという手段や方法で…する」と言いたいときに使う。　2)「N」が具体的な物の場合は、「Nによって」より「Nで」が多く使われ、名詞を説明する位置に来ると

2　目的・手段・媒介

きは、「Nによる」となることが多い。

　　×わたしは自転車によって通勤している。

　　○わたしは自転車で通勤している。

　　○自転車による通勤は禁止されている。

　　×その件をメールによって通知してください。

　　○メールによる一斉通知は便利だ。

→13課1「～によって・～による」／19課Ⅰ・1「～によって・～による」

Ⅱ・2　～によると・～によれば 【～では】 ③

①テレビの長期予報によると、10月、11月はいつもより暖かい日が多いそうです。
②専門家の予想によれば、円高は今後も続くということだ。
③母からのメールによれば、今年は父が初めての海外旅行をするそうだ。
④新聞によると、たばこ税が上がるらしい。

　　N　＋によると

▶ほかから聞いたことや推量したことを言う場合、その情報がどこから来たかを表す。

Ⅱ・3　～を通じて・～を通して 【～を手段として／～を媒介として】 ③

①この会での活動を通じて、わたしは伊藤さんという女性と知り合いました。
②このような民間レベルの国際交流を通じて、両国間の理解が少しずつ進んでいくことを願っています。
③仕事の内容についてのお問い合わせは、事務所を通して行ってください。
④田中さんを通してのビジネスの話は残念ながらうまくいかなかった。

　　N　＋を通じて

▶2つの言い方は同じように使えることが多いが、「～を通じて」は、ある媒介や手段を使って成立する、または行われる事柄にポイントがあり、「～を通して」は、何かを行うとき、どんな媒介や手段を使うかにポイントがある。　　　　　→3課2「～を通じて・～を通して」

Ⅱ・4　～をもって 【～を用いて】 ❶

①誠実な田中さんは非常な努力をもって問題解決に当たった。
②面接の結果は、1週間後に書面をもってお知らせします。
③今回のアルバイトでわたしは働くことの厳しさを身をもって経験した。
④彼の実力をもってすれば、金メダルは間違いないだろう。
⑤彼の能力をもってしても、この危機を切り抜けるのは難しいだろう。

◎◎　N ＋をもって

▶ 1）「それを用いてあることをする」と言いたいときの表現。　2）③の「身をもって」は「実際に深く体験して」という意味。　3）④⑤のように、「～をもってすれば」「～をもってしても」の形もよく使われる。　4）身近な道具や手段にはあまり使われない。

×この紙を10枚ずつクリップをもって留めておいてください。
○この紙を10枚ずつクリップで留めておいてください。

→3課11「～をもって」

練習 2　目的・手段・媒介

A　□の中の言葉を使って、次の文を完成させなさい。1つの言葉は1回しか使いません。❸

a を通して	b ように	c によると
d によって	e による	

1．テレビの番組案内＿＿＿＿、わたしの好きなアニメがはじめてテレビで放映されるそうだ。
2．近所の人が夜遅くごみを出さない＿＿＿＿、張り紙を出した。
3．毎日少しずつでも運動を続けること＿＿＿＿健康のための効果は大きいと思う。
4．使っていない部屋の電気を消すこと＿＿＿＿、少しでもエネルギーを節約しよう。

5．ここに車を置きたいなら、管理事務所＿＿＿＿頼んでください。

B ＿＿＿の中の言葉を使って、次の文を完成させなさい。1つの言葉は1回しか使いません。

```
a  ように     b  を通じて    c  による
d  上で       e  によると
```

わたしの兄は、現在、京都のある大学で環境デザインを勉強している。兄1＿＿＿＿、この学部は若い先生が多く、授業もとても活気があるそうだ。先生たちの考えでは、いい授業をする2＿＿＿＿何より大切なのは、教師と学生の間の知的な相互作用であり、その考えから、学生たち1人1人が積極的に授業に参加できる3＿＿＿＿、少人数制のクラスになっているそうだ。また、学生たち4＿＿＿＿自主的な活動も盛んだということだ。わたしは兄5＿＿＿＿この大学についていろいろ知るようになった。来年はわたしもこの大学に入れるように、努力するつもりだ。

C どちらが正しいですか。正しい方の記号を○で囲みなさい。

1．あそこなら自転車（a　によって　　b　で）行けば、15分もかからないよ。
2．先輩（a　を通じて　　b　によって）新しいアルバイトを紹介してもらった。
3．ビザの延長を（a　する上で　　b　した上で）必要な書類は何ですか。
4．言葉を（a　増やすべく　　b　増やすように）、彼はさまざまな分野の本を読むことに努めている。
5．入会金は、この払込書（a　を通して　　b　をもって）○○銀行の口座あてにお振り込みくださいますようお願いいたします。

3 起点・終点・限界・範囲

Starting and Ending Points ／ Limits ／ Range
起点，终点，界限，范围
기점 / 종점 / 한계 / 범위

ものごとの始まりと終わり・上と下の限界・その間を言いたいときは、どんな言い方がありますか。

知っていますか

a にかけて　b を通じて　c だけ　d にわたって　e をはじめ

1. 京都には清水寺＿＿＿、観光名所がたくさんある。
2. テーブルの上のものは食べたい＿＿＿食べていいんですよ。
3. 9月から10月＿＿＿、日本各地で祭りが行われます。
4. 今、世界ではすべての分野＿＿＿女性たちの活躍が目立つ。
5. 在学期間＿＿＿、彼はいつもクラスのリーダーだった。

使えますか

1. { a 夜中から明け方まで、 / b 夜中から明け方にかけて、} 弱い地震が数回あった。
2. ここにある本を { a できるだけたくさん / b できるばかりたくさん } 持って帰ってください。
3. { a ご両親をはじめ、 / b ご両親からして、} ご家族のみなさんはお元気ですか。
4. あしたは { a 東北地方の全域にかけて、 / b 東北地方の全域にわたって、} 雪が降るでしょう。
5. { a この地方は年間のかぎり、 / b この地方は年間を通じて、} 雨が少ない。

答えは次のページにあります。

3 起点・終点・限界・範囲

起点・終点・限界・範囲

ものごとの始まりと終わり・上と下の限界・その間を言いたいとき

3
1　～から～にかけて
2　～を通じて・
　　～を通して
3　～だけ・～だけの
4　～にわたって・
　　～にわたる

2
5　～をはじめ(として)・
　　～をはじめとする
6　～からして
7　～かぎり・～かぎりの

1
8　～を皮切りに(して)・
　　～を皮切りとして
9　～に至るまで
10　～を限りに
11　～をもって
12　～というところだ・
　　～といったところだ

1　～から～にかけて 【～から～までの間】 3

①朝、7時半から8時にかけて、バスがとても込む。
②昨年の夏から今年の春にかけて、わたしのうちではいろいろなことが起こった。
③あすは関東地方から東北地方にかけて、小雨が降るでしょう。(天気予報)
④首都高速道路は銀座から羽田にかけて渋滞しています。(交通情報)

∞　N　＋から＋N　＋にかけて

▶ 1) 始まりと終わりがそれほどはっきりしていない範囲を表し、その範囲内で連続的に、または断続的にあることが続いていると言いたいときに使う。　2) 後の文は1回だけのことではなく、連続的なことである。

　　×A駅からB駅にかけて、わたしのアパートがあります。
　　○A駅からB駅にかけてアパートがたくさん並んでいる。
　　×夜中から明け方にかけて、チンさんが訪ねてきました。
　　○夜中から明け方にかけて雨が降りました。

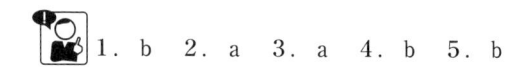

---

1. e　2. c　3. a　4. d　5. b　　　1. b　2. a　3. a　4. b　5. b

25

2　〜を通じて・〜を通して【〜の間ずっと】

①この地方は年間を通じてほとんど同じような天候です。
②人類の歴史を通じて、地球のどこかでつねに戦争が行われていた。
③この画家は一生を通して小さい動物たちの絵をかき続けた。
④母は3か月の入院期間を通して1度も不満を言わなかった。

　　N　＋を通じて

▶「〜の間ずっと同じ状態だ」と言いたいときに使う。「〜を通して」の後には積極的・意志的なことを表す文が来ることが多い。　　　→2課Ⅱ・3「〜を通じて・〜を通して」

3　〜だけ・〜だけの【〜の限度まで】

①わたしはごみの袋を持てるだけ持ってごみ置き場まで運んだ。
②どうぞお菓子を好きなだけお取りください。
③あしたはできるだけ早く来てください。
④わたしは彼に言いたいだけのことを全部言うつもりだ。

　　普通形の肯定形（ナAな）＋だけ（Nにつく例はない）

▶「〜だけ…」の形で、「もうこれ以上はないという限度まで…する」と言いたいときに使う。③のように「できるだけ」の形で慣用的に使うこともある。　　　→10課Ⅰ・6「〜だけの」

4　〜にわたって・〜にわたる【〜の全体に】

①山田先生は長い年月にわたって、子どもの音楽教育に力を注いだ。
②この店は親、子、孫の3代にわたり、伝統的な和風の味を守っている。
③1年間にわたる橋の工事がやっと終わった。
④15日間にわたった夏季オリンピック大会も今日で幕を閉じます。

　　N　＋にわたって

▶期間や場所などある範囲を表す言葉を受けて、その範囲が大きいという感じを表したいときに使う。

3 起点・終点・限界・範囲

5 〜をはじめ（として）・〜をはじめとする 【〜を第1に】

①ご両親をはじめ、家族のみなさんによろしくお伝えください。
②わたしは日本に来てから先輩のリンさんをはじめ多くの方のお世話になっています。
③東京の永田町には国会議事堂をはじめとして、国のいろいろな機関が集まっている。
④今回のサミットでは、アメリカをはじめとする主要8か国の首脳が参加して話し合いが行われる。

🔗 N ＋をはじめ（として）

▶ 代表となるものを「〜をはじめ」で挙げておいて、「同じグループのほかのものもみんな」と言いたいときに使う。後の文には、みんな・いろいろ・たくさん・大勢など、多数を表す語が来ることが多い。

6 〜からして 【〜を第1の例として】

①この職場には時間を守らない人が多い。所長からしてよく遅刻する。
②新しく買い替えた携帯電話は前のとはずいぶん違う。だいいち、色からして違う。
③この店の雰囲気は好きになれない。まず、流れている音楽からしてわたしの好みではない。

🔗 N ＋からして

▶ 「〜からして…」の形で、最も基本的なことや普通はあまり問題にならないことを取り上げ、「〜さえ…だからほかのこともそうだ」と言いたいときに使う。

→ 11課Ⅰ・5 「〜からすると・〜からすれば・〜からして」

7 〜かぎり・〜かぎりの 【〜の限界ぎりぎりまで】

①できるかぎりお手伝いいたします。遠慮なく言ってください。
②さあ、いよいよあしたは入学試験だ。力のかぎりがんばろう。
③この事件について知っているかぎりのことを話してください。
④わたしたちのチームが負けそうになったので、みんなあらんかぎりの声を出して応援した。

○○ Vる／Nの ＋かぎり

▶「限界まで～する」と言いたいときの表現。慣用表現として④のような例もある。

→8課3「～かぎり（は）」

8 ～を皮切りに（して）・～を皮切りとして【～から始まって】

①あのスーパーは大阪での出店を皮切りに、日本各地に次々に支店を出している。
②彼の発言を皮切りにして、大勢の人が次々に意見を言った。
③この作品を皮切りとして、彼女はその後、多くの小説を発表した。

○○ N ＋を皮切りに

▶「～から始まって、その後次々に」と言いたいときに使う。その後に続く行為のきっかけになるいちばん初めの行為を表す。

9 ～に至るまで【～までも】

①フィギュアスケートの指導は厳しかった。指の先に至るまで細かく注意された。
②身近なごみ問題から国際経済の問題に至るまで、面接試験の質問内容は実にいろいろだった。
③何年か前に、0歳の赤ん坊から100歳を越える高齢者に至るまで、すべての住民に国から一定額のお金が支給された。

○○ N ＋に至るまで

▶「ものごとの範囲がそんなことにまで達した」と言いたいときに使う。上限を強調して表すのであるから、極端な意味の名詞に接続する。

10 ～を限りに【～を最後として】

①今日を限りに禁煙することにしました。
②20年続いたこのマラソン大会も、今回を限りに打ち切られるそうだ。
③今年度を限りに土曜日の業務は行わないことになりました。

○○ N ＋を限りに

▶今まで続いていたことが今後はもう続かなくなるということを言うときに、その最後の期限を表す。

11　～をもって 【～で】

①本日をもって職場の皆様とお別れすることになりました。
②展示会の最終日は午後5時をもって終わりにさせていただきます。
③これをもちまして第10回卒業式を終了いたします。

○○○　N　＋をもって

▶それまで続いていたことの終わりの時点を宣言するときに使う。公式文書やあいさつなどにみられる硬い言い方。　　　　　　　　　　　　　　　　　→2課Ⅱ・4「～をもって」

12　～というところだ・～といったところだ 【最高でも～だ／せいぜい～だ】

①来年度わたしがもらえそうな奨学金はせいぜい5万円というところだ。
②わたしが作れる料理ですか。そうですねえ。卵焼き、みそ汁といったところです。
③彼女、ダンスがうまくなったね。仕上がりまでもう1歩といったところだね。

○○○　N　＋というところだ

▶「せいぜい～だ・最高でも～だ・～以上ではない」と言いたいときの表現。あまり多くないと思える数量や、軽いと感じられる言葉に接続する。

練習3　起点・終点・限界・範囲

A　□□の中の言葉を使って、下線の部分を言い換えなさい。1つの言葉は1回しか使いません。

| a　から～にかけて | b　を通じて | c　にわたって |
| d　にわたる | e　だけ | |

1．バイキングでは、食べたいものを全部食べられるんですよ。
　　　　　（　　　　　　　　）

2．3時間続いた試合がやっと終わった。会場から大きな拍手が起こった。
　　（　　　　　　　　）

3．明日は夕方から夜までの間、小雨が降るでしょう。
　　　　（　　　　　　　　　　）

4．4年間ずっと研究されてきた新しいロボットが、明日いよいよ働き始める。
　（　　　　　　　　　）

5．うちの畑では1年の間次々にいろいろな草花が育つんです。
　　　　　　　　（　　　　　　　　　　　）

B　どちらが正しいですか。正しい方の記号を○で囲みなさい。

1．この店の商品は高級品ばかりだ。（a　ハンカチ　　b　ダイヤの指輪）からして、わたしには手が出ない。

2．年末から年始にかけて、わたしは（a　新しい服を買った　　b　母のところに行っていた）。

3．この学校の屋上から見ると、見渡すかぎり（a　富士山が見える　　b　ビルばかりだ）。

4．（a　週末　　b　1週間）にわたる講習会は、とても評判がよく、次回もぜひ参加したいという人が大勢いた。

5．今年は1年を通じて（a　忙しかった　　b　日本語学校に入学した）。

C　□の中の言葉を使って、次の文を完成させなさい。1つの言葉は1回しか使いません。

a　にかけて	b　にわたる	c　を通じて	d　だけ
e　をはじめ	f　からして	g　かぎり	

　わたしは2004年から2005年1＿＿＿＿、世界のあちこちに行った。そして、2006年から2010年まで日本の大学で勉強した。4年間2＿＿＿＿留学生活の間、田中先生

3＿＿＿＿＿いろいろな方のお世話になった。日本では食べ物4＿＿＿＿＿わたしには合わなくて、はじめのうちはとても困った。しかし、日本には年間5＿＿＿＿＿いろいろな野菜があるし、田中先生も「うちの畑のものは好きな6＿＿＿＿＿持っていっていいですよ」と言ってくれたのでありがたかった。わたしもお金が続く7＿＿＿＿＿がんばって日本で勉強を続けようと思った。

D　どちらが正しいですか。正しい方の記号を○で囲みなさい。

1．彼は5年前初めて本を出版したのを皮切りに、以後（a　次々にいい本を出版している　　b　1冊も出版していない）。
2．うちの親は（a　自分の友だちの電話番号　　b　わたしの友だちの電話番号）に至るまで関心があるようだ。
3．今日を限りに（a　別の薬を飲み始める　　b　この薬を飲むのをやめる）。
4．今年度をもって（a　この研究会は終わります　　b　新しい研究会が発足します）。
5．わたしの睡眠時間は（a　5時間　　b　10時間）といったところです。

E　＿＿＿の中の言葉を使って、次の文を完成させなさい。1つの言葉は1回しか使いません。

```
a　を皮切りに　　b　に至るまで　　c　を限りに
d　をもって　　　e　といったところ
```

1．今日＿＿＿＿＿＿、A社との交渉を打ち切ることにした。
2．A会社の初任給はそんなに高くないです。せいぜい18万円＿＿＿＿＿＿でしょうか。
3．この映画＿＿＿＿＿＿、以後次々にアジアの映画が日本で上映されるようになった。
4．彼は神経の細かい人で、その日に食べた食事の内容やその値段、買った店の名前＿＿＿＿＿＿ノートに書いている。
5．本年度＿＿＿＿＿＿、当協会は解散いたします。

4 時点・場面

Time and Place of Action
动作的时间，场合
시점 / 장면

ものごとが行われるときや場面を示したいときは、どんな言い方がありますか。

知っていますか

a うちに　　b ところに　　c 最中に　　d 折に　　e に際して

1. コーヒーショップで話をしている＿＿＿、大切な用事を忘れてしまった。
2. 留学＿＿＿、わたしはいろいろな人のお世話になった。
3. 閉会のあいさつが終わった＿＿＿、中川さんが入ってきた。
4. 先日京都へ旅行した＿＿＿、京都大学の山田教授を訪ねた。
5. 面接試験の＿＿＿、急におなかが痛くなった。

使えますか

1. { a 音楽を聴いているうちに、
    b 音楽を聴いているところで、} 眠くなってきた。

2. { a わたしはにぎやかな最中でも、
    b わたしは会議の最中でも、} 眠ることがある。

3. みち子はちょっと本を読みかけたが、{ a すぐに眠ってしまった。
                                    b 1時間で全部読んでしまった。}

4. { a 非常の折には、
    b 非常の際には、} この出口から出てください。

5. 研究発表をするにあたって、{ a 病気になってしまった。
                             b いろいろ準備をした。}

答えは次のページにあります。

4 時点・場面

時点・場面 ものごとが行われるときや場面を示したいとき

3	2	1
1　〜際（に）・〜際の	7　〜折（に）・〜折の	10　〜にあって
2　〜ところ	8　〜に際して	
3　〜かける	9　〜にあたって	
4　〜うちに・〜ないうちに		
5　〜最中（に）・〜最中だ		
6　〜において・〜における		

1　〜際（に）・〜際の 【〜ときに】 3

①お帰りの際はお足元にお気をつけください。

②先月モンゴルを訪問した際に、現地の子どもたちと親しく交流することができた。

③申し込み用紙は３月１日までにお送りください。その際、返信用封筒を忘れずに同封してください。

④昨年、ボランティアのためのセミナーを行った際の記録をお見せいたします。

◎◎　Vる・Vた／Nの　＋際（に）

▶「ある特別の状況にあるときに、またはそうなったときに」という意味。硬い言い方。

2　〜ところ 【〜とき】 3

①いい夢を見ていたのに、ごちそうを食べるところで目が覚めてしまった。

②日曜日のお楽しみ番組が始まったところに電話がかかってきた。

③ご飯を食べているところへ友だちが訪ねてきた。

④家を出るところを母に呼び止められ、いろいろ用事を頼まれた。

◎◎　Vる・Vている・Vた　＋ところ

▶１）ある動作、作用の流れの中で、行為や変化のどの時点であるかを特に言いたいときに使う。「Vるところ」は直前の時点、「Vているところ」は進行中の時点、「Vたところ」は直後の時点である

---

1. a　2. e　3. b　4. d　5. c　　　1. a　2. b　3. a　4. b　5. b

33

ことを表す。　2）後の文にどんな動詞が来るかによって「～ところ」の後につく助詞が「～ところで・～ところに・～ところへ・～ところを」のように変化する。

3　～かける【途中まで～して、～し終わらない】

①かぜは治りかけたが、またひどくなってしまった。
②わたしは雑誌を読みかけて、そのまま眠ってしまった。
③こんなところに食べかけのりんごを置いて、あの子はどこへ行ったのだろう。
④一郎の宿題はまだやりかけだ。

　　Ｖます　＋かける

▶「ある動作・できごとが始まるが、まだ途中の段階である」というときの表現。③④のように「～かけ」の形で名詞のように使われる場合もある。

4　～うちに・～ないうちに【～している間に】

①今は上手に話せなくても練習を重ねるうちに上手になります。
②友だちに誘われて何回か山登りをしているうちに、わたしもすっかり山が好きになった。
③ふと外を見ると、気がつかないうちに雨が降り出していた。
④5日間の外国出張のうちに、近くの公園の桜が全部散ってしまった。

　　Ｖる・Ｖている・Ｖない／Ｎの　＋うちに

▶継続性を表す語につながり、その継続状態の間に、はじめは予想しなかったような変化が現れることを表す。後の文は事態の変化を表す文。　　　→5課Ⅱ・4「～うちに・～ないうちに」

5　～最中（に）・～最中だ【ちょうど～しているときに】

①会議の最中、だれかの携帯が鳴った。
②シャワーを浴びている最中に、玄関にだれか人が来た。
③来年度の行事予定については、今話し合いをしている最中です。

　　Ｖている／Ｎの　＋最中（に）

▶動作を表す言葉につく。「ちょうど～しているときに予期しないことが起こった」と言いたいとき

4 時点・場面

によく使われる。

6 ～において・～における 【～で／～に】

①卒業式はA会館において行われる予定です。
②最近、環境への関心が高まったためか、人々の暮らし方においてもある変化が見られる。
③マスコミはある意味において、人を傷つける武器にもなる。
④経済界における彼の地位は高くはないが、彼の主張は注目されている。

　　N ＋において

▶ 1) ものごとが行われる場所・場面・状況・分野・領域などを表す。　2)「～で」と大体同じ意味だが、改まった書き言葉だから、日常的な文の中ではあまり使わない。

　　×わたしは毎日図書館において勉強します。

7 ～折（に）・～折の 【～機会に】

①このことは今度お目にかかった折に詳しくお話しいたします。
②先月上海に行った折、日本語学校時代の友だちの家を訪ねました。
③何かの折にわたしのことを思い出したら手紙をくださいね。
④わたしは最近イタリア語のレッスンを受けています。来年イタリア旅行をする折の楽しみが増えました。

　　Vる・Vた／Nの ＋折（に）

▶「あるいい機会に」という意味であるから、後の文にはマイナスの事柄はあまり来ない。手紙文によく使われる。

8 ～に際して 【～をするときに】

①お２人の人生の門出に際して、ひとことお祝いの言葉を申し上げます。
②田中氏は今回の会議参加に際して、前もってしっかりと議案の検討を行った。
③このたびの私の転職に際しましては、たいへんお世話になりました。
④建設工事を始めるに際し、これまでの経過をまとめて報告書を作成した。

🔗 Vる／する動詞のN ＋に際して

▶「ある特別なことを始めるときに」または「その進行中に」と、改まった気持ちで言うときに使われる。

9　～にあたって【～をするときに】

①新しい年のはじめにあたって、ひとことごあいさつ申し上げます。
②この店を開店するにあたって、周囲の人の協力を求め、しっかり準備をしました。
③この計画を実行するにあたり、できるだけの資料を集める必要がある。
④コンサートの開会にあたりまして、皆様にお願いがございます。

🔗 Vる／N ＋にあたって

▶ある特別なときに、または重要な行動を前にして、それに対しての積極的な姿勢を言いたいときに使う。改まった言い方。

10　～にあって【～に／～で】

①今、わが国は社会の転換期にあって、人々の価値観も揺れている。
②現在のような高度情報社会にあって、個人情報を守ることの重要性が叫ばれている。
③この非常時にあって、あなたはどうしてそんなに平気でいられるのですか。

🔗 N ＋にあって

▶①②のように「～のような特別な事態・状況に身をおいているので（順接）」または③のように「身をおいているのに（逆接）」と言いたいときに使う。

練習 4　時点・場面

A ＿＿＿の上に、「で・に・を」を、また、必要がないときは×を書きなさい。

1. たばこを吸っているところ＿＿＿見つかってしまった。
2. 家に帰ると夫が出張先から帰ったところ＿＿＿だった。
3. コウさんはいつもわたしがご飯を食べようとしているところ＿＿＿来るんです。

4　時点・場面

4．きのうの試験では、もうすぐ書き終わるところ____、終了のベルが鳴ってしまった。
5．窓から顔を出しているところ____写真に撮られてしまったのです。
6．今、食事をしているところ____なので、後でこちらからお電話します。
7．この時計は3時をちょっと過ぎたところ____止まっている。
8．赤ちゃんがもう少しで眠るところ____だから、ちょっと静かにしてください。

B ◯の中の言葉を使って、次の文を完成させなさい。1つの言葉は1回しか使いません。

a 際	b ところに	c うちに
d 最中に	e において	f かけて

　年のはじめにひとことごあいさつ申し上げます。昨年は厳しい年でした。契約交渉の1____地震が起こったり、ようやく工事が始まった2____台風が来たりしました。やり3____中断された作業もいろいろあります。しかし、厳しいということはある意味4____いいことです。困難なときにあれこれ考えている5____新しい計画が生まれてくるのです。今後も何か困ったことが起こった6____は、みんなで助け合っていきたいと思います。

C　どちらが正しいですか。正しい方の記号を◯で囲みなさい。

1．（a　上京した　　b　入院した）折に　高校時代の先生に会った。
2．（a　入浴する　　b　海外に転勤する）に際して、どのようなものが必要でしょうか。
3．スポーツ大会を開催するにあたって、｛a　実行委員がごあいさつを申し上げます。
　　　　　　　　　　　　　　　　　　　b　わたしはわくわくした気持ちになった。
4．現代の（a　老人ホーム　　b　高齢化社会）にあって、介護の質が問われている。

5 時間的同時性・時間的前後関係

Concurrent Actions / Sequential Actions
动作同时发生，动作先后发生
시간적 동시성 / 시간적 전후관계

2つの事柄がほとんど同時に起こると言いたいときや、2つの事柄の時間的な前後関係を言いたいときは、どんな言い方がありますか。

知っていますか

a はじめて　b うちに　c からでないと　d かと思うと　e 上で

1. ラッシュアワーのときは、今電車が出て行った＿＿＿＿もう次の電車が来る。
2. 料理の材料は忘れない＿＿＿＿ノートに書いておこう。
3. この果物は実がもっと大きくなって＿＿＿＿おいしくない。
4. 木村さんと別れて＿＿＿＿、彼女の本当の心の深さを知った。
5. 会に入るかどうか、友だちとよく相談した＿＿＿＿決めたいと思います。

使えますか

1. { a テレビをつけたとたんに、テレビの後ろでバチッと音がした。
   { b テレビが終わったとたんに、おふろに入りなさいよ。
2. 社長が着き次第、{ a 会議を始めた。
                  { b 会議を始めよう。
3. 国では見なかったが、日本に来てからは、{ a はじめて日本のドラマを見た。
                                          { b テレビでドラマをよく見ている。
4. { a 研究会では、発表に先立って、主催者から発表者の紹介があった。
   { b 買い物に行くに先立って、窓を閉め、かぎをかけた。
5. { a 8時になったら、
   { b 8時になるかならないかのうちに、} 出かけよう。

答えは次のページにあります。

38

5　時間的同時性・時間的前後関係

Ⅰ　時間的同時性　２つの事柄がほとんど同時に起こると言いたいとき

3
1　～たとたん(に)

2
2　～とともに
3　～(か)と思うと・
　　～(か)と思ったら
4　～か～ないかのうちに
5　～次第

1
6　～が早いか
7　～や・～や否や
8　～なり
9　～そばから

Ⅰ・1　～たとたん(に)【～したら、その瞬間に】**3**

①ずっとすわって本を読んでいて急に立ち上がったとたん、気分が悪くなった。

②「キミちゃん、どこにいたの。心配したよ」と言ったとたん、キミは泣き出した。

③出かけようと思って家を出たとたんに、雨が降ってきた。

④帰りのバスに乗ったとたんに、薬屋に寄るのを忘れたことに気がついた。

　　Vた　＋とたん(に)

▶ １)「～たとたん(に)…」の形で、「～が終わったのとほとんど同時に、…という予期しないことが起こった」と言いたいときに使う。前のことと後のことは、互いに関係があることが多い。

　 ２) Ⅰ・4「～か～ないかのうちに」の▶ ２)を参照。

Ⅰ・2　～とともに【～すると、同時に】**2**

①ベルが鳴るとともに、子どもたちはいっせいに運動場へ飛び出した。

②彼は京都への転勤が決まるとともに、アパートを探すなど新生活の準備を始めた。

③試合の終了とともに、観客は総立ちとなって勝者に盛大な拍手を送った。

　　Vる／する動詞のN　＋とともに

▶ １)「～とともに…」の形で、「～が起こるとほとんど同時に、…が起こる」と言いたいときに使う。

　 ２) Ⅰ・4「～か～ないかのうちに」の▶ ２)を参照。　　　→6課Ⅱ・4「～とともに」

---

1. d　2. b　3. c　4. a　5. e　　　　1. a　2. b　3. b　4. a　5. a

Ⅰ・3 ～（か）と思うと・～（か）と思ったら 【～すると、すぐに】

①空でなにかピカッと光ったかと思うと、ドーンと大きな音がして地面が揺れた。
②母はいつも忙しい。今、そうじしていたと思ったら、もう買い物に出かけて、いない。
③うちの子どもは学校から帰ってきたかと思うと、いつもすぐ遊びに行ってしまう。

○○○　Ｖた ＋（か）と思うと

▶ 1)「～（か）と思うと…」の形で、「～が起こったすぐ直後に、…が起こる」と言いたいときに使う。自分のことには使えない。　2) Ⅰ・4「～か～ないかのうちに」の▶ 2) を参照。

Ⅰ・4 ～か～ないかのうちに 【～すると、同時に】

①子どもは「おやすみなさい」と言ったか言わないかのうちに、もう眠ってしまった。
②彼はいつも終了のベルが鳴るか鳴らないかのうちに、教室を飛び出していく。
③このごろ、うちの会社では1つの問題が解決するかしないかのうちに、次々と新しい問題が起こってくる。

○○○　Ｖるか・Ｖたか ＋Ｖないか ＋のうちに

▶ 1)「～か～ないかのうちに…」の形で、「～が起こったすぐ直後に、…が起こる」と言いたいときに使う。　2) Ⅰ・1「～たとたん（に）」、Ⅰ・2「～とともに」、Ⅰ・3「～（か）と思うと」、Ⅰ・4「～か～ないかのうちに」は現実のできごとを描写するのであるから、意志的な行為を表す文・依頼文・否定文などが後に来ることはない。

　　×国へ帰ったとたんに、結婚しようと思います。
　　×この企画が採用されるかどうか決まるとともに、知らせてほしい。
　　×学校から帰ってきたかと思うと、すぐ勉強しよう。
　　×空港に着くか着かないかのうちに会社へ電話をかけてください。

Ⅰ・5 ～次第 【～したらすぐ】

①スケジュールが決まり次第、飛行機のチケットとホテルの予約をしましょう。
②資料の準備ができ次第、会議室にお届けします。
③詳しいことがわかり次第、すぐ知らせてください。

5　時間的同時性・時間的前後関係

④会長が到着し次第、会を始めたいと思います。もうしばらくお待ちください。

○○○　V－ます　＋次第

▶「～次第…」の形で、「～が起こったらすぐ、…をする」という意志を伝えたいときに多く使う。過去のことには使わない。

　　　×アルバイトが終わり次第、うちへ帰りました。

Ⅰ・6　～が早いか【～すると、同時に】❶

①その人は電車の座席にすわるが早いか、袋からおにぎりを出して食べ始めた。
②姉はあの俳優の大ファンだ。今回も彼の新作が公開されるが早いか見に行った。
③警察官は遠くに犯人らしい姿を見つけるが早いか追いかけていった。

○○○　Vる　＋が早いか

▶1）「～が早いか…」の形で、「～が起こると直後に、…の動作をする」と言いたいときに使う。

　2）Ⅰ・8「～なり」の▶2）を参照。

Ⅰ・7　～や・～や否や【～すると、同時に】❶

①よし子は部屋に入って来るや、「変なにおいがする」と言って窓を開けた。
②そのニュースが伝わるや否や、たちまちテレビ局に抗議の電話がかかってきた。
③社長の決断がなされるや否や、担当のスタッフはいっせいに仕事にとりかかった。

○○○　Vる　＋や

▶1）「～や否や…」の形で、「～が起こると直後に、…が起こる」と言いたいときに使う。前のことに反応して起こる予想外のできごとが多い。　2）Ⅰ・8「～なり」の▶2）を参照。

Ⅰ・8　～なり【～すると、同時に】❶

①彼はしばらく電話で話していたが、とつぜん受話器を置くなり部屋を出ていった。
②彼は合格者のリストに自分の名前を発見するなり、とび上がって大声をあげた。
③彼女は展覧会の会場に入るなり、目指す絵の方に走っていった。

○○○　Vる　＋なり

▶1）「～なり…」の形で、「～をすると同時に、…という普通ではない行為をした、または普通では

ないことが起こった」と言いたいときに使う。 2）Ⅰ・6「～が早いか」、Ⅰ・7「～や・～や否や」、Ⅰ・8「～なり」は現実のできごとを描写するのであるから、意志的な行為を表す文・依頼文・否定文などが後に来ることはない。

×チャイムが鳴るが早いか授業をやめてください。

×わたしはお金をもらうや否や貯金します。

×会社に着くなり、社長室に行ってください。

Ⅰ・9 ～そばから 【～しても、すぐまた】

①小さい子どもは、お母さんがせんたくするそばから、服を汚してしまいます。
②仕事をかたづけるそばから次の仕事を頼まれるのでは体がいくつあっても足りない。
③もっと若いうちに語学を勉強しておくべきだった。今は習ったそばから忘れてしまう。
④これはヒット商品だ。仕入れるそばから、売り切れてしまう。

Ｖる・Ｖた ＋そばから

▶「～そばから…」の形で、「～しても～しても、すぐまた…が起こる」と言いたいときに使う。好ましくないことに使うことが多い。

Ⅱ 時間的前後関係　2つの事柄の時間的な前後関係を言いたいとき

3	2	1
1 ～てはじめて	5 ～上で	8 ～てからというもの（は）
2 ～てからは	6 ～て以来	
3 ～てからでないと・～てからでなければ	7 ～に先立って・～に先立つ	
4 ～うちに・～ないうちに		

Ⅱ・1 ～てはじめて 【～た後ではじめて】

①入院してはじめて健康のありがたさがわかりました。

②スポーツは自分でやってみてはじめてそのおもしろさがわかるのです。

③大きな仕事は十分な準備があってはじめて成功するのだ。

④外国の友だちとつき合うようになってはじめて、わたしは自分の国のことをよく知りたいと思うようになった。

🔗 Vて ＋はじめて

▶「Vてはじめて…」の形で、「～する前はそうではなかったが、した後、それがきっかけとなってやっと、…になる」という意味。

Ⅱ・2　～てからは【～してから、今までずっと】

①2年前に社会人になってからは、ひまな時間はほとんどありません。

②このメーカーのくつをはくようになってからは、ほかのメーカーのくつがはけなくなった。

③毎日飲んでいた薬をやめてからは、かえって食欲も出て元気に過ごしています。

④いなかに引っ越してからは、学校時代の友人に会うことも少なくなった。

🔗 Vて ＋からは

▶1）「ある行動の後、ある状態がずっと続いている」と言いたいときに使う。　2）Ⅱ・6「～て以来」とほとんど同じ意味。　3）「～てから」と違って、1回だけのことには使えない。

×　就職してからは、カナダ旅行に行きました。

○　就職してから、カナダ旅行に行きました。

Ⅱ・3　～てからでないと・～てからでなければ【～した後でなければ】

①豚肉は、十分火が通ってからでないと食べてはだめだよ。

②そのことについては、よく調査してからでなければ、お答えできません。

③田中さんは出張中だから、来週になってからでないと出社しません。

④「飲み会の予定は決まった？」

　「先輩の予定を聞いてからでないと……」

🔗 Vて ＋からでないと

▶「あることをした後でなければだめだから、まずそうすることが必要だ」と言いたいときに使う。

後には否定や不可能の意味の文が来る。

Ⅱ・4　～うちに・～ないうちに【ある状況になる前に】

①独身のうちに、イタリアへ語学留学をしてみたい。
②母がよく作るカレーなんです。どうぞ温かいうちに食べてください。
③体が丈夫なうちに、1度富士山に登ってみたい。
④「タンさんは3月に国へ帰るそうだよ」
　「本当？　じゃ、東京にいるうちに、ぜひ3人で食事をしようよ」
⑤スープに生クリームを加えたら、沸騰しないうちに火から降ろす。（料理の本から）

　　Vる・Vない／イAい／ナAな／Nの　＋うちに

▶「～うちに…」の形で、「～と反対の状態になったら実現がむずかしいから、そうなる前に」と言いたいときに使う。　　　　　　　　　　　　　　→4課4「～うちに・～ないうちに」

Ⅱ・5　～上で【まず～してから】

①詳しいことはお目にかかった上で、説明いたします。
②申込書の書き方をよく読んだ上で、記入してください。
③どちらの案を採用するかは、編集会議での検討の上で、決めます。
④これは1週間考えた上での決心だから、気持ちが変わることはない。

　　Vた／する動詞のNの　＋上で

▶「～上で…」の形で、「まず～をした後で、それを土台にして…という次の行動をとる」という意味。「～上で」の前後には意志動詞が来る。少し硬い言い方。　　→2課Ⅰ・2「～上で」

Ⅱ・6　～て以来【～してから、今までずっと】

①学校を卒業して以来、田中さんには1度も会っていません。
②1人暮らしを始めて以来、ずっと外食が続いている。
③あの画家の絵を見て以来、あの画家にすっかり夢中になっています。
④来日以来、中野駅のそばにある寮に住んでいます。

　　Vて／する動詞のN　＋以来

5 時間的同時性・時間的前後関係

▶ 1)「ある行動の後、ある状態が今までずっと続いている」と言いたいときの言い方。 2) Ⅱ・2「〜てからは」とだいたい同じ意味で、1回だけのことには使えない。

× 退院して以来、山に出かけました。

○退院して以来、家で静かに暮らしています。

また、「〜て以来」は近い過去から続いていることには使えない。

× 彼は晩ごはんを食べて以来、ずっとパソコンの前にすわっている。

Ⅱ・7 〜に先立って・〜に先立つ【〜の前に必要なこととして】

①出発に先立って、大きい荷物は全部宅配便で送っておきました。
②マンション建設を開始するに先立って、周辺の住民に説明する必要がある。
③首相がA国を訪問するに先立って両国の政府関係者が打ち合わせを行った。
④留学に先立つ書類の準備に、時間もお金もかかってしまった。

○○ Vる／する動詞のN ＋に先立って

▶「そのことが行われる前にその準備として、しておかなければならないことをする」と言いたいときに使う。「〜に先立って」の前には大きな仕事や行為などを表す言葉が来る。

Ⅱ・8 〜てからというもの（は）【〜してから、ずっと】

①たばこをやめてからというもの、食欲が出て体の調子がとてもいい。
②あの本を読んでからというものは、どう生きるべきかについて考えない日はない。
③会のリーダーが変わってからというもの、会員たちは新しいリーダーのやり方に慣れず、とまどっている。

○○ Vて ＋からというもの（は）

▶ 1)「その行為やできごとが後の状態の契機になって」という意味を表す。以後の変化が大きいことに対して話者が心情を込めて言う。 2) Ⅱ・2「〜てからは」と意味・用法がだいたい同じであるが、「というもの」があるために、より話者の気持ちのこもった言い方になっている。

練習 5　時間的同時性・時間的前後関係

A 　□の中の言葉を使って、次の文を完成させなさい。1つの言葉は1回しか使いません。

```
a  うちに       b  からは      c  とたんに
d  からでないと   e  はじめて
```

1. 子犬のマルが家に来て＿＿＿、子どもたちはいつも居間でマルと遊んでいる。
2. 夕方になると寒くなるから、暖かい＿＿＿、買い物に行こう。
3. あの作家の本を読んで＿＿＿ファンタジーのおもしろさを知った。
4. 泳ぐときは、よく準備運動をして＿＿＿、危ないよ。
5. お母さんが帰ってきた＿＿＿、今までいい子だったケンちゃんがわがままを言い始めた。

```
a  とともに     b  次第      c  かと思ったら
d  先立って     e  上で
```

6. 今井さんは外出した＿＿＿、すぐ帰ってきたよ。大事な書類を忘れたらしい。
7. 社員研修の開始に＿＿＿、社長のあいさつがあった。
8. ホテルの予約が確認でき＿＿＿、お知らせします。
9. どちらのせんたく機がいいか、特徴をよく比べた＿＿＿、決めよう。
10. 学期が終了する＿＿＿、学生たちの多くはふるさとへ帰っていった。

5　時間的同時性・時間的前後関係

```
a　そばから    b　が早いか    c　なり
d　からというもの
```

11. 列車のドアが開く＿＿＿＿、乗客たちは次々に乗り込んでいった。

12. 道を歩いていると、男が走って近づいてくる＿＿＿＿、わたしのバッグを取ろうとした。

13. 石井さんは、いいライバルだった池田さんが外国勤務になって＿＿＿＿、すっかり元気がなくなってしまった。

14. そのニュースを伝える号外は、用意する＿＿＿＿飛ぶようになくなっていった。

B 　　の中の言葉と、（　　）の言葉をいっしょに使って、文を完成させなさい。1つの言葉は1回しか使いません。

```
a　次第      b　たとたん     c　てはじめて
d　うちに    e　てからでないと f　て以来
```

1. いすから（立ち上がる→　　　　　　　　　　）、いすが倒れた。
2. 大学を（卒業する→　　　　　　　　　　）1度もあの人に会っていない。
3. （冷める→　　　　　　　　　　）召し上がってください。
4. （入院する→　　　　　　　　　　）看護師の仕事の大変さがわかった。
5. よく（考える→　　　　　　　　　　）行くか行かないか決められない。
6. 雨が（やむ→　　　　　　　　　　）、出かけましょう。

| a | に先立って | b | かと思うと | c | 上で |
| d | てからというもの | e | そばから | | |

7. 親や先輩とよく（相談する→　　　　　　　）進路を決めます。

8. 子どもたちは、わたしが（かたづける→　　　　　　　）部屋中ちらかす。

9. （工事開始→　　　　　　　）管理の責任者が各家をあいさつして回った。

10. 彼は家に（着く→　　　　　　　）玄関に倒れてしまった。

11. 病気で（入院する→　　　　　　　）世間のできごとがまったくわからない。

6 進行・相関関係

Progressive Actions / Correlations
动作的进行，动作之间的关系
진행 / 상관관계

ものごとがある方向に向かって進行している、または、一方が変化すると、それに応じて他方も変化する、と言いたいときは、どんな言い方がありますか。

知っていますか

a 一方だ　b につれて　c ほど　d つつある　e としている

1. 退院した後、日がたつ＿＿＿体力も回復してきた。
2. これは山に登る人の命を支えるロープなのだから、丈夫なら丈夫な＿＿＿いい。
3. 学校で習った英語は、その後ぜんぜん使わないので、忘れる＿＿＿。
4. 都会に住む人が失い＿＿＿もの、それは昔の人が生活の中に感じた季節感ではないだろうか。
5. 夏期オリンピック大会の入場行進が今、始まろう＿＿＿。観客が大きな拍手で迎えている。

使えますか

1. 暖かくなるにつれて、
   - a いろいろな花が次々と咲き始めた。
   - b 桜の花を見に行こう。

2.
   - a 課長になればなるほど
   - b 会社での地位が上がれば上がるほど

   責任のある仕事が増える。

3. この本は初めはむずかしいが、読み進むにしたがって
   - a おもしろくなってくる。
   - b おもしろい。

4. カードで買い物をすると、
   - a いいものが増えるばかりだ。
   - b 結局は要らない物が増えるばかりだ。

5.
   - a 試験の日になる
   - b 試験の日が近づく

   にしたがって、だんだん心配になってきた。

答えは次のページにあります。

I 進行 ものごとがある方向に向かって進行していると言いたいとき

1 ～一方だ
2 ～つつある
3 ～ようとしている
4 ～ばかりだ

I・1 ～一方だ【ますます～していく】

①最近、わたしは太る一方です。少し運動をしようと思っています。

②ティーナさんの日本語の力は上がる一方です。

③去年、駅の中にできた店は人気があって、客が増える一方だ。電車に乗らないのに、買い物に来る人がいるそうだ。

④この町にはよい仕事がないので若い人は町を出て行ってしまう。この町の人口は減る一方だ。

Vる ＋一方だ

▶「～一方だ」の形で、「～」の方向にだけ変化が進んでいることを表す。「～」には変化を表す動詞が来る。

I・2 ～つつある【今ちょうど～している】

①大型の台風が関東地方に近づきつつある。

②子どもたちも携帯電話を使うようになり、子どもたちをとりまく環境が変わりつつある。

③世界は不景気から回復しつつある。この国の経済も次第に安定してきた。

Vます ＋つつある

▶「ものごとがある方向に向かって進んでいる」という意味。特に進行中であるということをはっきり言いたいときに使う。書き言葉的。

---

1. b 2. c 3. a 4. d 5. e　　1. a 2. b 3. a 4. b 5. b

Ⅰ・3　〜ようとしている【まもなく〜する／今〜するところだ】

①新しい年の太陽が今、昇ろうとしている。海の向こうから大きな太陽がだんだん見えてくる。

②高校生の全国バスケットボール大会が来週からこの市で開かれようとしています。

③春はもうすぐだ。長かった冬がやっと終わろうとしている。

　　Ｖよう　＋としている

▶「ものごとが変化に向かって進行している」という言い方。変化の始まりや、終わりの直前であることを表す。書き言葉的。

Ⅰ・4　〜ばかりだ【ますます〜していく】

①父は年を取ってから気難しくなるばかりで、このごろはだれも話し相手にならない。

②食中毒の原因を早く調査しないと、国民の不安は増すばかりだ。

③昨年の会長選挙のときの対立が原因で、２つのグループの関係は悪くなるばかりだ。

　　Ｖる　＋ばかりだ

▶ものごとの変化が悪い方向にだけ進んでいることを表す。Ⅰ・1「〜一方だ」と同じように、前には変化を表す動詞が来る。

　　　×このごろ、雨が降る一方です。

　　　×外国にいるので、故郷を思う気持ちを持つばかりだ。

　　　○このごろ、寒くなる一方です。

　　　○外国にいて故郷を思う気持ちは増すばかりだった。

II　相関関係　一方が変化すると、それに応じて他方も変化すると言いたいとき

```
3                           2                    1
1  ～ば～ほど・～なら～ほど・～ほど    4  ～とともに
2  ～につれて                    5  ～に伴って
3  ～にしたがって
```

II・1　～ば～ほど・～なら～ほど・～ほど

【～すれば…になり、もっと～すればもっと…になる】

①面接試験のことを考えれば考えるほど、心配になってくる。

②アルバイトを探しています。場所は学校に近ければ近いほどいいんですが。

③この会社で仕事をするには、英語が上手なら上手なほどいい。

④あの人の話はむずかしくて、聞けば聞くほどわからなくなる。

⑤外国語は深く勉強するほど難しくなる。

⑥わたしは何もしないでいるのが好きだから、休みの日は暇なほどいい。

⑦優れた営業マンほど客の苦情を熱心に聞く。

　　Vば＋Vる／イAければ＋イAい／ナAなら＋ナAな　＋ほど

▶ 1)「一方の程度が変われば、それとともに他方も変わる」と言いたいときの表現。　2)④⑤のように、ふつう予想することと反対の結果になる場合にも使う。　3)⑤⑥のように「～ば・～なら」のない使い方もある。また、⑦のように「名詞＋ほど」の使い方もある。

→ 10課 I・1「～ほど・～ほどの・～ほどだ」

II・2　～につれて　【～すると、だんだん】

①時間がたつにつれて、人の名前も経験したことも忘れてしまう。

②イタリア語の上達につれて、イタリア人の考え方がわかってきた。

③健太はよく話す子だったが、大きくなるにつれて、あまり話さなくなった。

④電車が町を離れるにつれ、家の数が減り、緑の畑が広がっていく。

○○ Vる／する動詞のN ＋につれて

▶ 1)「〜 につれて、…」の形で、「〜の程度が変化すると、そのことが理由となって、…の程度も変化する」という表現。　2)「〜」にも「…」にも変化を表す言葉が来る。

　　× 20歳になるにつれて、将来の志望を決めた。

　　○ 20歳に近づくにつれて、将来の志望がはっきりしてきた。

3)「…」には話す人の意志を表す文（例「〜つもりだ」）や働きかけのある文（例「Vましょう」）は使わない。

Ⅱ・3　〜にしたがって【〜すると、だんだん】

①経済が発達し、生活が豊かになるにしたがって、人々は物を使い捨てにするようになった。

②興味が広がるにしたがって、彼はさまざまな分野の本を読むようになった。

③今後、通勤客が増えるにしたがい、バスの本数を増やしていこうと思っている。

○○ Vる／する動詞のN ＋にしたがって

▶「〜にしたがって…」の形で「〜が変化すると、…の変化も起こってくる」という言い方。「〜」にも「…」にも変化を表す言葉が来る。

Ⅱ・4　〜とともに【〜すると、それに応じてだんだん】

①日が短くなり、冷え込みが厳しくなるとともに、山の木の葉が色づき始める。

②歴史の推移とともに人々の価値観も変わっていく。

③時間がたつとともに、友を失った悲しみが少しずつ消えていく。

○○ Vる／する動詞のN ＋とともに

▶「〜とともに、…」の形で「〜が変化すると、…も変化する」という言い方。「〜」にも「…」にも変化を表す言葉が来る。　　　　　　　　　　　　→5課Ⅰ・2「〜とともに」

Ⅱ・5　〜に伴って【〜すると、それに応じて】

①成長するに伴って、彼は昆虫に特別の興味を示すようになってきた。

②病気の回復に伴って、運動の種類を少しずつ増やしていく。

③社会の情報化に伴い、子どもたちは今までにない危険にあうことが増えた。
④バス停の場所の移動に伴い、バスの時刻表にも変更があります。（お知らせ）
⑤政権の交代に伴い、内閣改造が行われた。

🔗　Vる／する動詞のN ＋に伴って

▶ 1)「〜に伴って、…」の形で、「〜が変化すると、それといっしょに…も変化する」という言い方。「〜」にも「…」にも変化を表す言葉が来る。　2)④⑤のように、「〜という原因や理由で、…が起こった」という文もある。

練習 6　進行・相関関係

A　どちらが正しいですか。正しい方の記号を○で囲みなさい。

1．寒くなってきたので、
　　a 遅刻する学生がいる一方だ。
　　b 遅刻する学生が増える一方だ。

2．暑くなるにつれて、
　　a エアコンの生産を増やそう。
　　b エアコンの売り上げが伸びてきた。

3．日本にいる期間が長くなればなるほど、
　　a 日本のことがわからなくなる。
　　b 日本のことがわからない。

4．女性の社会進出に伴って、
　　a 日本でも離婚が増えてきた。
　　b 日本でも離婚が多い。

5．このごろ、
　　a 成績がよくなるばかりなので、わたしはうれしいです。
　　b 成績が悪くなるばかりなので、わたしは心配です。

6．
　　a 卒業式が近づくにしたがって、
　　b 卒業にしたがって、
　　高校生活のいろいろなことが心に浮かんでくる。

7．
　　a A社との共同プロジェクトは順調に進行しつつあります。
　　b 食事の準備ができつつあるから、もうちょっと待ってね。

6 進行・相関関係

8．朝晩は涼しくなり、長く暑かった夏もやっと ｛ a 終わろうとしています。
　　　　　　　　　　　　　　　　　　　　　　 b 終わる一方です。

B （　　）の中の言葉を使って、＿＿＿の言葉を言い換えなさい。

1．この本は読んでいったら、だんだんおもしろくなってきた。（につれて）
　　　　　　（　　　　　　　　　　　　）

2．お礼のメールを出すのは早い方がいい。（ば～ほど）
　　　　　　（　　　　　　　　　　　　）

3．専用テレビを持つ子どもの数はどんどん増えているそうだ。（一方だ）
　　　　　　　　（　　　　　　　　　　　　）

4．医学が進歩すると、それといっしょに人の寿命が延びてきた。（とともに）
　　　　　（　　　　　　　　　　　　）

5．ソーラー発電の技術は年々改良されている。（つつある）
　　　　　　　　　（　　　　　　　　　　　　）

C 　　　の中の言葉を使って、次の文を完成させなさい。1つの言葉は1回しか使いません。

| a　につれて | b　ほど | c　にしたがって |
| d　つつある | e　ばかり | f　一方 |

　わたしは今、大学院の2年生です。専攻は「コンピューターによる画像処理」です。どんな勉強をしているのか、家族に説明するのですが、みんな、難しくて聞けば聞く1＿＿＿わからなくなると言います。社会の情報化が進む2＿＿＿重要性を増してきた分野で、いろいろな方面で注目され3＿＿＿んですよ。専攻を希望する学生も増える4＿＿＿で、教授も喜んでいます。教授は、卒業生が増える5＿＿＿将来の就職先をどんどん開拓するつもりだ、と言っています。わたしも実験が多くて、家へ帰る時間が遅くなる6＿＿＿ですが、充実した毎日を過ごしています。

55

7 付帯・非付帯

With／Without
附帯，不附帯
부대／비부대

2つのことをいっしょに、またはあることを伴わないで何かをすると言いたいときは、どんな言い方がありますか。

知っていますか

a ついでに　b つつ　c ぬきで　d ぬきの　e ぬきにして

1. 健康診断には朝食＿＿＿来てください。
2. その日あったことを考え＿＿＿、いつも夜散歩をする。
3. ボストンに出張した＿＿＿、美術館に寄ってみた。
4. この教科書代2,000円というのは消費税＿＿＿値段です。
5. 今シーズンはけがをしたキャプテンを＿＿＿チーム作りをしなければならない。

使えますか

1. ａ 駅前の本屋まで行ったついでに、プリンターのインクを買ってきた。
   ｂ 医者として病院に勤めるついでに、漫画家として雑誌に漫画をかいている。
2. ａ さあ、硬いあいさつはぬきにして、今夜は大いに飲みましょう。
   ｂ 日曜日をぬきにして、わたしは毎日働いている。
3. ａ 先生のお宅を訪問しつつ、ごあいさつをした。
   ｂ 山道を登りつつ、人生について考えた。
4. ａ うっかりして切手ぬきの手紙をポストに入れてしまった。
   ｂ 今晩はアルコールぬきのパーティーです。
5. ａ 前置きぬきで、先に結論からご説明いたします。
   ｂ 前置きぬきの、先に結論からご説明いたします。

答えは次のページにあります。

付帯・非付帯

2つのことをいっしょに、またはあることを伴わないで何かすると言いたいとき

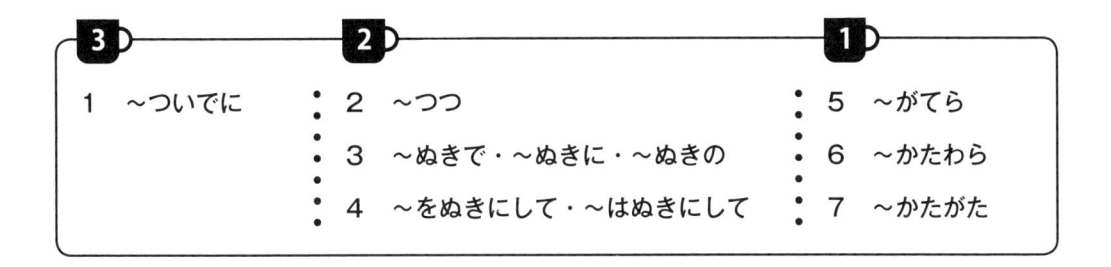

```
3                  2                              1
1 ～ついでに    2  ～つつ                    5  ～がてら
               3  ～ぬきで・～ぬきに・～ぬきの   6  ～かたわら
               4  ～をぬきにして・～はぬきにして 7  ～かたがた
```

1　～ついでに【～する機会につけ加えて】

①買い物のついでに、郵便局に寄って書留を送った。

②ドイツで国際会議に出席したついでに、昔、通った小学校を訪ねてみた。

③上野の美術館に行ったついでに、近くに住んでいる友だちに会って話をした。

④母「ちあきちゃん、立ったついでにお茶いれてね」

　　Vる・Vた／する動詞のNの　＋ついでに

▶「ものごとを行う機会を利用して、都合よくほかのこともつけ加えて行う」と言うときの言い方。

　前の文は初めからの予定の行動で、後の文は追加的な行動。

2　～つつ【～ながら】

①夜行バスに揺られつつ、朝、大阪に着くまでいい気持ちで眠った。

②わが社では今の機種を改善しつつ、一方で新しい製品の開拓も心がけております。

③政府は住民や関係団体と話し合いを重ねつつ、道路を作る計画を進めている。

　　Vます　＋つつ

▶ 1)「1つのことをしながら、同時にもう1つのことをする」という意味。「～つつ」の後の動作が主な動作である。　2)「～ながら」と同じような使い方をするが、「～ながら」より硬い表現。

→ 18課3「～つつ・～つつも」

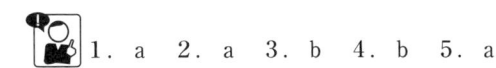

---

1. c　2. b　3. a　4. d　5. e　　1. a　2. a　3. b　4. b　5. a

3 〜ぬきで・〜ぬきに・〜ぬきの 【〜を入れないで】

①たまには子どもぬきで集まって、落ち着いてランチでも楽しみましょう。

②砂糖ぬきのコーヒーはおいしくない。

③今日はアルコールぬきだよ。

◯◯◯ N ＋ぬきで

▶「普通は含まれるもの、本来当然あるべきものを加えずに」と言いたいときに使う。

4 〜をぬきにして・〜はぬきにして 【〜を入れないで】

①今日は硬い話をぬきにして、気楽に飲みましょう。

②冗談はぬきにして、もっとまじめに考えてください。

③政治の問題はぬきにして、とにかく会おうということになった。

◯◯◯ N ＋をぬきにして

▶「普通は含まれるもの、当然あるものを加えずに」と言いたいときに使う。

5 〜がてら 【〜を兼ねて】

①月1回開かれるフリーマーケットをのぞきがてら、公園を散歩した。

②祖父は毎日散歩がてら、パン屋へ行って焼きたてのパンを買ってくる。

③買い物がてら、新宿へ行ってカメラ屋をのぞいてこよう。

④近くの公園の桜が満開です。お花見がてらうちにもお寄りください。

◯◯◯ V-ます／する動詞のN ＋がてら

▶ 1)「1つの行為をするときに2つの目的をもたせてする」「1つのことをすると、結果として2つのことができる」などの意味に使う。 2)「〜がてら」の後には「歩く・行く」など移動に関係のある動詞がよく使われる。

6 〜かたわら 【〜一方で、別に】

①佐藤さんは銀行で働くかたわら、ボランティアとして町内会の会長をしている。

②彼は会社に勤めるかたわら、結婚式の司会者として活躍している。

③あの人は大学院で研究を続けるかたわら、作曲をしているそうだ。

④出版社勤務のかたわら、姉は江戸時代の出版文化について研究している。

🔗 Ｖる／Ｎの ＋かたわら

▶ 1)「(本来の仕事である)～をする一方で、並行してほかのこともしている」と言う表現。 2)「～かたわら」は「～ながら」に比べ、長期間続いていることに使う。職業や立場などを両立させている場合によく使われる。

7 ～かたがた 【～も同時にするつもりで】

①大学卒業と就職の報告かたがた、ひさしぶりに高等学校の先生を訪ねた。

②外国に転勤するので、ごぶさたのおわびかたがた昔の上司にあいさつに行った。

③友人がけがをしたので、見舞いかたがた手伝いに行った。

🔗 Ｎ ＋かたがた

▶ 1)「1つの行為に、2つの目的を持たせて行う」という表現。改まった場面やビジネス上の人間関係の場面でよく使われる。 2)「～かたがた」の後には「訪問する・上京する」など移動に関係のある動詞がよく使われる。 3)「お祝いかたがた・お礼かたがた・ご報告かたがた」などが慣用的によく使われる。

練習 7 付帯・非付帯

Ａ ☐の中の言葉を使って、次の文を完成させなさい。1つの言葉は1回しか使いません。

| a つつ　 b ぬきの　 c ついでに　 d ぬきで |

1．2度と悲しい事故が起こらないようにと祈り＿＿＿、わたしは毎朝仏壇に手を合わせている。

2．一郎、買い物に行く＿＿＿、この手紙をポストに入れてくれないか。

3. 塩味＿＿＿料理はおいしくない。
4. 今月の定例ミーティングでは、問題が多かったので休み時間＿＿＿3時間も話し合った。

```
a  はぬきにして    b  かたわら    c  かたがた
d  がてら
```

5. きのう、幼稚園へ子どもを迎えに行き＿＿＿、新しくできた図書館に寄ってみた。
6. 堅苦しいあいさつ＿＿＿、すぐに食事にしましょう。
7. 転職の報告＿＿＿、久しぶりに父と外で食事をした。
8. 小川さんは大学で教える＿＿＿、小説を書いている。

B ☐の中の言葉を使って、＿＿＿の部分を言い換えなさい。1つの言葉は1回しか使いません。

```
a  はぬきにして    b  ぬきで     c  つつ
d  かたわら       e  ついでに
```

1. 朝、会社を出て昼食を食べずに、5時まで営業をして回った。
　　　　　（　　　　　　　　　）
2. 1つのプロジェクトを進めながら、別の新しいプロジェクトを始めるのは大変だ。
　　　　　　　　　（　　　　　　　　　）
3. 今回のハイキングは子どもが多いから、難しい道は入れないで、コースを決めよう。
　　　　　　　　　　　　　（　　　　　　　　　　）
4. 東京へ行く機会を利用して、浅草に寄っておみやげを買おう。
　　　（　　　　　　　　　）
5. 大川さんは高校に勤める一方で、別に塾で英語の講師をしている。
　　　　　　（　　　　　　　　　）

8 限定

Limiting Conditions
限定
한정

状況や条件を限りたいときは、どんな言い方がありますか。

知っていますか（1つの言葉は1回しか使いません）

a　に限り　　b　に限って　　c　かぎり　　d　かぎりでは

1. あの人がそばにいてくれる＿＿＿＿、わたしは安心していられる。
2. 名簿で調べた＿＿＿＿、そういう名前の人はこの学校にはいません。
3. この健康センターでは、お子さま連れの方＿＿＿＿、遊び道具をお貸しいたします。
4. うちの子＿＿＿＿、そんな悪いことをするはずがない。

使えますか

1. この健康センターの入場料は、
   - a　70歳以上の方に限り無料です。
   - b　70歳以下の方に限り有料です。

2. わたしが
   - a　疲れているときに限って
   - b　疲れているかぎりでは

   部長に仕事を頼まれる。

3. あの人に限って
   - a　いつもわたしに親切だ。
   - b　そんなばかなことはしないと思う。

4.
   - a　日本に来たかぎり、
   - b　日本に住んでいるかぎり、

   日本語ができないと不便だ。

5. わたしが知るかぎりでは、
   - a　そんな町に行きたい。
   - b　そんな町はこの地方にはない。

答えは次のページにあります。

限定　状況や条件を限りたいとき

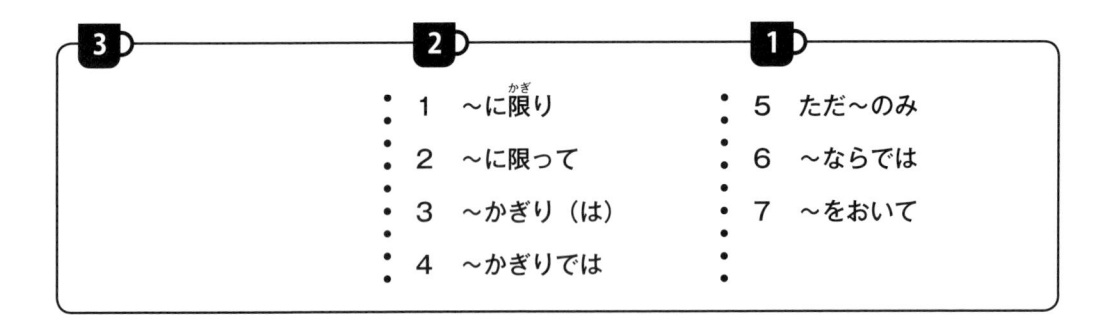

- 1　～に限り
- 2　～に限って
- 3　～かぎり（は）
- 4　～かぎりでは
- 5　ただ～のみ
- 6　～ならでは
- 7　～をおいて

1　～に限り【～だけは】

①朝10時までにご来店の方に限り、コーヒーのサービスがあります。

②5月5日（子どもの日）に限り、動物園の入場料を無料といたします。

③当院では、インフルエンザの予防接種に限り、土曜日も受け付けております。

　　N　＋に限り

▶「～に限り…」の形で、「～だけ特別に…する」と言いたいときに使う。

2　～に限って【～の場合だけは】

①いつもは積極的に意見を言うあなたが、どうして今日に限って黙っているんですか。

②わたしは毎日バスで通勤しているのだが、この日に限って自転車で家を出た。すると……。

③急いでいるときに限ってバスがなかなか来ない。

④ハイキングに行こうという日に限って雨が降る。わたしはいつも運が悪いなあ。

⑤あの政治家に限って不正なんかするはずはない。

⑥S社の製品に限ってすぐに壊れるなんてことはないだろうと思っていたのに……。

　　N　＋に限って

▶あるものを限定して取り上げ、「～だけ特に」と言いたいときに使う。①②のように「～だけは…だ」と事実を言うとき、③④のように「特別に～の場合だけ好ましくない状況になって不満だ」と言い

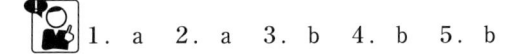

1. c　2. d　3. a　4. b　　　　1. a　2. a　3. b　4. b　5. b

たいとき、また⑤⑥のように、信頼や特別な期待をもって話題にし、「～だけは好ましくないことはしないはずだ」という判断を言うときに使う。

3 ～かぎり（は）【～の状態が続く間は】

①体が丈夫なかぎり、思いきり社会活動をしたい。
②わたしの目が黒いかぎり、お前に勝手なことはさせないぞ。
③人間が地球上で生きているかぎりは、エネルギーが消費されるのだ。
④「そろそろ会議を始めませんか」
「あの部屋では今、別の会議をやっているから、それが終わらないかぎり使えないんですよ」

◯◯◯ 普通形（現在形だけ）（ナAな・ナAである／Nである）＋かぎり（は）

▶「～かぎり…」の形で、「～」の状態が続いている間は「…」の状態が続く、と言いたいときに使う。「～かぎり」の前後には時間的に幅のある表現が来る。　→3課7「～かぎり・～かぎりの」

4 ～かぎりでは【～の範囲のことに限れば】

①わたしが覚えているかぎりでは、昨年は地震が5回あった。
②ちょっと話したかぎりでは、彼はいつもとまったく変わらないように思えた。
③今回の調査のかぎりでは、この問題に関する外国の資料はあまりないようだ。

◯◯◯ Vる・Vた／Nの　＋かぎりでは

▶ある判断をするための情報の範囲を限定する。見る・聞く・調べる、などの言葉につく。

5 ただ～のみ【ただ～だけ】

①若いころは貧しくて、ただ働くのみの毎日だった。
②ただ厳しいのみではいい教育とはいえない。
③今はもう過去を振り返るな。ただ前進あるのみ。
④この地球上から戦争をなくすこと。今はただそれのみがわたしの願いである。

◯◯◯ ただ＋N／普通形（ナAである／Nである）＋のみ

▶「ただ～だけ」と限定するときの表現。硬い書き言葉。

6 ～ならでは 【～でなければ不可能な】

①この絵には子どもならでは表せない無邪気さがある。
②その買い物袋、すてきですね。手作りならではの温かみがありますね。
③これはおもしろい発想をする山本さんならではの作品だと思います。

　　N ＋ならでは

▶「～以外では不可能だ、ただ～だけができる」と感心するときの言い方。「～ならではの」の「の」は、「見られない・できない」などの動詞の代わりである。

7 ～をおいて 【～以外に】

①この仕事をやれる人はあなたをおいてほかにいないと思います。
②現代小説を知りたいなら、読むべき本はこの作品をおいてほかにない。
③みなさん、彼をおいてこの国を任せられる人はいません。彼に投票してください。

　　N ＋をおいて

▶「～以外にない」と言いたいときに使う。「それと比較できるほどのものはほかにない」と高く評価するときに使うことが多い。

練習 8 限定

A 　　の中の言葉を使って、次の文を完成させなさい。1つの言葉は1回しか使いません。

a ノーベル賞をもらったO氏	b 最後までがんばった人
c 医学を学んだことのあるK氏	d 70歳以上の人
e 早く答案を出す人	

1. ＿＿＿に限ってあまりよくできていないようだ。

8 限定

2．ただ＿＿＿＿のみが栄冠を手にするのだ。
3．このテーマについて講演をする適任者は＿＿＿＿をおいてほかにいない。
4．＿＿＿＿に限り、第一診察室で健康診断を受けることができます。
5．この小説は＿＿＿＿ならではの作品ですね。病気の症状の描写が実にうまい。

B ＿＿＿＿の中の言葉を使って、次の文を完成させなさい。1つの言葉はⅠ、Ⅱそれぞれで、1回ずつしか使いません。

| a に限り | b に限って | c かぎりは | d かぎりでは |
| e のみ | f ならでは | g をおいて | |

Ⅰ　わたしの知る1＿＿＿＿、ヤンさんはとても芸術的才能がある人だ。今度の個展でも、ヤンさん2＿＿＿＿の作品を見せてくれると信じている。この個展では先着30名3＿＿＿＿、彼がかいた色紙をもらえることになっているから、友人にもすすめてみようと思っている。

　ヤンさんはわたしの後輩だから、わたしが日本にいる4＿＿＿＿ヤンさんのお世話をしたいと思っているが、彼はなぜかわたしがお金がないとき5＿＿＿＿、お金を借りに来る。しかし、将来わたしの画廊を発展させてくれる人は、彼6＿＿＿＿ほかにいないと思っているので、わたしは彼との交際を大切にしたい。

　ヤンさんは今、ただ前進ある7＿＿＿＿だ。将来が楽しみな青年である。

Ⅱ　わたしが調べた1＿＿＿＿、わが国でこういう手術ができる人は森先生2＿＿＿＿ほかにいない。ただ森先生3＿＿＿＿がこの難しい手術ができるのだ。あきらめていた人に希望を与える手術は、腕がよくて心がやさしい森先生4＿＿＿＿のものだ。

　先生の手術は週に1回だけだが、急を要する場合5＿＿＿＿、すぐに手術を始めることになっている。それで、先生はいつも緊張している。夕食後の数時間だけが先生のリラックスタイムなのだが、そんなとき6＿＿＿＿、急に患者さんが来る。森先生がわたしたちの病院にいる7＿＿＿＿、わたしたちスタッフものんびりしてはいられない。

9 非限定・付加

Non-limitation / Additions
非限定，附加
비한정/부가

それだけではない、ほかにもあると言いたいときや、それもあるし、その上、ほかにもあると言いたいときは、どんな言い方がありますか。

知っていますか

a だけでなく　b もちろん　c なら　d 限らず　e もとより

1. うちの妹は、ペットの世話は＿＿＿＿、家族の手伝いもよくするんだよ。
2. 今のアルバイトは、仕事も簡単＿＿＿＿、店の人もやさしいので、楽です。
3. 正子さんは性格が明るい＿＿＿＿、だれにでもとてもやさしいので人気がある。
4. 東京に＿＿＿＿どこの大都市でも環境に気を配った建物が増えている。
5. 今回のプロジェクトでは、スタッフは＿＿＿＿、各方面からのご協力が得られたことを感謝しております。

使えますか

1. このレストランは味がいい上に、
   - a 値段も安いので、いつも込んでいる。
   - b 値段も安くした方がいい。

2. 手術の後は、
   - a おかゆはもちろん、普通のごはんも食べられない。
   - b 普通のごはんはもちろん、おかゆも食べられない。

3. この服は色がいいのみならず、
   - a デザインも新しい。
   - b わたしが一番好きな服だ。

4. このバンドは若者に限らず、
   - a うちの母も好きだ。
   - b 40歳以上の人たちにも人気がある。

5. 専門の経済問題ばかりか、
   - a 法律についても詳しい人が入社しました。
   - b 法律も少し勉強しなさい。

答えは次のページにあります。

9 非限定・付加

I 非限定　それだけではない、ほかにもあると言いたいとき

```
❸                    ❷                    ❶
1  ～だけでなく         3  ～ばかりか          6  ～にとどまらず
2  ～ばかりでなく       4  ～に限らず
                     5  ～のみならず
```

I・1　～だけでなく【～のほかに】❸

①この町では多くの農家が野菜だけでなく、はちみつも作っています。
②申込書には、住所と氏名だけでなく、できればメールアドレスも書いてください。
③ダイエットをするときは、食べ物に気をつけるだけじゃなく、運動することも大切なんだよ。
④食事についてのアンケートでは、何を食べるかだけでなく、どう食べるかについても聞きます。
⑤日本のアニメ文化は、ただ日本だけでなく多くの国の若者文化にも影響を与えている。
⑥今回の水不足はひとりＡ県だけでなく、わが国全体の問題でもある。

🔗　Ｎ／普通形（ナAな・ナAである／Nである）　＋だけでなく

▶ 1)「～だけでなく…」の形で、「～」のほかに「…」も、と言いたいときに使う。後の文には「も・まで・さえ」などがよくいっしょに使われる。　2)話し言葉では、③のように「～だけじゃなく」になることが多い。　3)⑤⑥のように硬い文では「ただ～だけでなく・ひとり～だけでなく」の形も使われる。

I・2　～ばかりでなく【～のほかに】❸

①今日は頭が痛いばかりでなく、吐き気もするんです。
②ご飯ばかりでなく、おかずもちゃんと食べなさい。
③この町は住民の努力で、ごみが減ったばかりでなく、公園や道路もきれいになった。

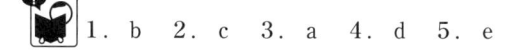

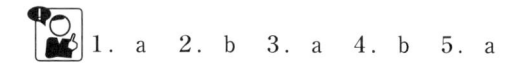

❓ 1.b　2.c　3.a　4.d　5.e　　❗ 1.a　2.b　3.a　4.b　5.a

④彼はわたしの夫であるばかりでなく、人生の先輩でもあるんです。

🔗 N／普通形（ナAな・ナAである／Nである）＋ばかりでなく

▶ 1)「～ばかりでなく…」の形で、「～」のほかに「…」も、と言いたいときに使う。後の文には「も・まで・さえ」などがよくいっしょに使われる。　2) 話し言葉では、1「～だけでなく」の方がよく使われる。

I・3　～ばかりか【～だけでなく】 2

①いくら薬を飲んでも、かぜが治らないばかりか、もっと悪くなってきた。
②最近佐藤さんは、休みが多いばかりか、仕事のミスも増えている。
③彼は仕事や財産ばかりか、家族まで捨てて家を出てしまった。
④あの人は仕事に熱心なばかりか、地域活動にも積極的に参加している。

🔗 N／普通形（ナAな・ナAである／Nである）＋ばかりか

▶ 1)「～だけでなく、その上にもっと程度の重い事柄も加わる」という意味。　2) 後の文には「も・まで・さえ」などがよくいっしょに使われる。　3) 1「～だけでなく」、2「～ばかりでなく」と違い、後に意志・希望・命令・誘いなどの働きかけの文が来ることはほとんどない。

　　×有名な観光地ばかりか、静かな田舎の生活も見たい。

　　×自分のことばかりか、他人のことも考えなさい。

　　○有名な観光地だけでなく、静かな田舎の生活も見たい。

　　○自分のことばかりでなく、他人のことも考えなさい。

I・4　～に限らず【～だけでなく】 2

①日曜日に限らず、休みの日はいつでも、家族と運動をしに出かけます。
②男性に限らず女性も、新しい職業分野の可能性を広げようとしている。
③この家に限らず、このあたりの家はみんな庭の手入れがいい。

🔗 N　＋に限らず

▶「～だけでなく、～が属するグループの中の全部に当てはまる」と言いたいときに使う。

Ⅰ・5　～のみならず【～だけでなく】❷

①この不景気では、中小企業のみならず大企業でも経費を削る必要がある。
②山川さんは出張先でトラブルを起こしたのみならず、部長への報告もしなかった。
③この総合雑誌は、時事問題の扱いが公平であるのみならず、文化面の記事も豊富だ。
④会社の業績改善は、ただ営業部門のみならず、社員全体の努力にかかっている。
⑤学校のいじめの問題は、ひとり当事者のみならず家庭や学校全体で解決していかなければならない。

　　N／普通形（ナAである／Nである）　＋のみならず

　　ひとり＋N　＋のみならず

▶ 1)「～だけでなく、範囲はもっと大きくほかにも及ぶ」と言いたいときに使う。硬い表現。

　2) 後の文には「も・まで・さえ」などがよくいっしょに使われる。　3) ④⑤のように、硬い文では「ただ～のみならず・ひとり～のみならず」などの形もある。

Ⅰ・6　～にとどまらず【～だけでなく】❶

①彼のテニスは単なる趣味にとどまらず、今やプロ級の腕前です。
②田中さんの話は専門の話題だけにとどまらず、いろいろな分野にわたるので、いつもとても刺激的だ。
③石井先生による子ども中心の授業は、1つのクラスにとどまらず、学校全体の授業に影響を与えた。
④学歴重視は子どもの生活から子どもらしさを奪うにとどまらず、社会全体をゆがめてしまう。

　　N／普通形（ナAである／Nである）　＋にとどまらず

▶「～にとどまらず…」の形で、ある事柄が「～」という狭い範囲を越えて、「…」という、より広い範囲に及ぶ、という意味。

II 付加　それもあるし、その上、ほかにもあると言いたいとき

```
3                              2                1
1  ～も～ば～も・～も～なら～も    4  ～はもとより    5  ～はおろか
2  ～上（に）                                    6  ～もさることながら
3  ～はもちろん                                  7  ～と相まって
```

II・1　～も～ば～も・～も～なら～も【～も～し～も】

①きのうの試験は問題もむずかしければ量も多かったので、よくできなかった。
②部長は人柄もよければ部下も大切にするので、信頼されている。
③あの店の物は値段も安めなら、品質もいいのでよく売れる。
④勉強の好きな子もいれば、きらいな子もいるのは当然です。
⑤人の助けになることもあれば、人に助けてもらうこともあるのが人生というものです。

　　Nも＋Vば／イAければ／ナAなら／Nなら　＋Nも

▶ 1) 前の事柄と同じ方向の事柄を加える（プラスとプラス、マイナスとマイナス）。　2) ④⑤は、同類のものや対立するものを並べて、両方あるという意味。

II・2　～上（に）【～。それに】

①先輩の吉田さんには新しい仕事を紹介してもらった上、ごちそうにまでなった。
②この機械は使い方が簡単な上、小型で、運ぶのにも便利だ。
③彼の話は長い上に、要点がはっきりしないから、聞いている人は疲れる。
④本日は全商品２割引きの上に、お子様にはお楽しみ袋のプレゼントがあります。

　　普通形（ナAな・ナAである／Nの・Nである）　＋上（に）

▶ 1) 前の事柄と同じ方向の事柄（プラスとプラス、マイナスとマイナス）を「それに」という気持ちで加える。　2) 後に、命令・禁止・依頼・勧誘などの相手への働きかけの文は来ない。

　　　×安い上に、おいしいものを食べに行きましょう。
　　　○あの店は、安い上においしい。

Ⅱ・3　〜はもちろん【〜は当然として】

①復習はもちろん予習もしなければなりません。

②浅草という町は日曜、祭日はもちろん、ウイークデーもにぎやかだ。

③このごろ、人が集まる場所ではもちろん、室内でもマスクをつけている人が増えている。

④田中さんは勉強についてはもちろんのこと、生活のことまで何でも相談できる先輩だ。

　N（＋助詞）　＋はもちろん

▶ 1)「〜はもちろん…も（まで）」の形で、「〜は当然として、程度が上の…も加わる」という意味。

Ⅱ・4　〜はもとより【〜は当然として】

①日本はもとより、多くの国がこの大会の成果に期待している。

②うちの父はパソコンはもとより、携帯電話さえ持とうとしない。

③数学は、自然科学や社会科学ではもとよりどんな方面に進むのにも重要だ。

④この大会で優勝できたのは、両親はもとより、いろいろな方々の応援があったからです。

　N（＋助詞）　＋はもとより

▶ 1)「〜は当然として、程度が重い（軽い）事柄も加わる」という意味。　2) Ⅱ・3「〜はもちろん」より書き言葉的な言い方。

Ⅱ・5　〜はおろか【〜は普通としても】

①祖母は電子レンジはおろか、炊飯器も使わずに食事を作る。

②今度の災害で、家財はおろか家まで失ってしまった。

③この地球上には、電気やガスはおろか、水道さえない生活をしている人々がまだまだたくさんいる。

④木村さんは会計の仕事をしているが、会計学についてはおろか、法律一般の知識もないらしい。

　N（＋助詞）　＋はおろか

▶ 1)「~は当然として、程度がもっと上の事柄も」という意味。　2)「も・さえ・まで」などの強調の言葉といっしょに使って、話者の驚きや不満の気持ちを表す。　3)相手への働きかけ（命令・禁止・依頼・勧誘など）の文には使わない。

Ⅱ・6　~もさることながら【~も無視できないが】

①きのうのサッカーの試合では、5対0というスコアもさることながら、新人選手の活躍も観客を喜ばせた。
②あの作家の作品は、若いころの作品もさることながら、老年期に入ってからのものも実にすばらしい。
③近年は世界の政治や宗教の問題もさることながら、人権問題も多くの人の注目を集めている。

　　N ＋もさることながら

▶「~も無視できないが、後の事柄も」と言いたいときに使う。

Ⅱ・7　~と相まって【~と影響し合って】

①彼の才能は人一倍の努力と相まって、みごとに花を咲かせた。
②彼の厳しい性格は、社会的に受け入れられなかった不満と相まって、ますますその度を増していった。
③日本では高齢化が進み、悪化する経済状況と相まって、人々の暮らしがますます厳しくなっている。

　　N ＋と相まって

▶「ある事柄に、~という別の事柄が加わって、よりいっそうの効果を生む」という意味。

練習 9　非限定・付加

A　□の中の言葉を使って、次の文を完成させなさい。1つの言葉は1回しか使いません。

> a　上（に）　　b　あれば　　c　はもちろん
> d　に限らず　　e　もとより

1. この町は小さいけれど、ショッピングセンターも＿＿＿＿＿図書館もあるので便利だ。
2. テレビの人気者が祭りのイベントに来るとか。子どもたち＿＿＿＿＿大人たちもなんとなくわくわくしている。
3. 日本では1年に1、2回、お世話になった方には＿＿＿＿＿親しい人にも感謝をこめて贈り物をする習慣がある。
4. 町内会の会長さんは、人柄もいい＿＿＿＿＿熱心なので、会はよくまとまっている。
5. 兄は数学＿＿＿＿＿化学や生物のような理科系の科目が得意らしい。

B　どちらが正しいですか。正しい方の記号を○で囲みなさい。

1. 最近の若者は女性は { a　もとより、 / b　限らず、 } 男性もファッションに興味があるようだ。
2. 復習 { a　ばかりでなく、 / b　ばかりか、 } 予習もしなさいよ。
3. この本は内容がむずかしい { a　上に、 / b　はもちろん、 } 翻訳がよくないので読みにくい。
4. このりんご、おいしい！　あまい { a　のみならず、 / b　だけじゃなく、 } 酸味もちょうどいいわ。

C　どちらが正しいですか。正しい方の記号を○で囲みなさい。

1．ある大企業の倒産は、同じ業界にとどまらず、{ a 日本経済全体にも影響を及ぼした。/ b 日本経済全体への影響は少なかった。

2．このかばん、いいでしょう。{ a ひとり値段だけでなく、便利さも気にいっているの。/ b 値段はもちろん、便利さも気にいっているの。

3．この電車は昼の時間帯はもとより、{ a ラッシュアワーの間もそんなに込まない。/ b ラッシュアワーの間も込む。

4．うちの子は親の手伝いはおろか、{ a 自分の部屋のそうじもするんです。/ b 自分の部屋のそうじもしないんです。

5．そうじやせんたくに限らず、{ a 食事作りなどの家事は、みんなたいへんです。/ b 食事作りが特にたいへんです。

D　□の中の言葉を使って、次の文を完成させなさい。1つの言葉は1回しか使いません。

| a　もとより | b　相まって | c　とどまらず |
| d　さることながら | e　のみならず | f　限らず |

　最近のサッカーの人気はすごい。古くからのファンは1＿＿＿、普通のスポーツファンの人気も集めている。特に人気のあるチームの試合となると、ファンの熱狂はただのスポーツの試合の応援に2＿＿＿、まるでお祭り騒ぎだ。サッカーがこのように盛んになったのは、ファンの熱心な応援も3＿＿＿、地元に根をおろしたプロのチームを作ろうという関係者の努力が実を結んだからだろう。

　先月のサッカー大会でも、主催者の組織力が、晴天続きという好条件と4＿＿＿、大会に大成功をもたらした。しかし、関係者も選手もこの人気に安心していてはいけない。サッカーに5＿＿＿プロのスポーツというものは、ファンがいるからこそのものである。これからも選手たちにおもしろく、見る者に感動を与えるような試合を見せてほしいというのが、ひとり熱狂的なファン6＿＿＿、一般のサッカーファンの願いだろう。

10 比較・程度・対比

Comparison / Degree / Contrast
比较, 程度, 对比
비교/정도/대비

2つ以上のものを比べたり、ある状態がどのくらいそうなのか、その程度を言ったり、2つ以上のものを対比させて言ったりしたいときは、どんな言い方がありますか。

知っていますか

a　ほど　b　に反して　c　どころか　d　一方で　e　だけまし

1. 弟は、父の期待＿＿＿＿スポーツの世界に入ってしまった。
2. 山田君のレポートの字はいつも汚い。でも、提出した＿＿＿＿かな。
3. 夜遅くまでのアルバイトは涙が出る＿＿＿＿つらかった。
4. 今年の夏は冷夏という予報だったが、冷夏＿＿＿＿記録的な暑い夏になってしまった。
5. 田村課長は仕事には厳しかった＿＿＿＿、部下の面倒はよく見た。

使えますか

1. 会社勤めは時間にしばられる反面、
   - a　生活の安定というよさがある。
   - b　自由業には自由がある。
2. 駅員「横浜へ行くには1番線の特急に
   - a　乗るに限ります」
   - b　乗るのがいちばん早いです」
3. 東京に対して
   - a　京都の方がもっと古い町だ。
   - b　京都は高層ビルが少ない。
4. これはかばんというより、
   - a　スーツケースみたいですね。
   - b　スーツケースの方がいいです。
5. 今度の旅行に行こうか行くまいか、
   - a　早く決めてください。
   - b　迷っています。

答えは次のページにあります。

I 比較・程度

2つ以上のものを比べたり、ある状態がどのくらいそうなのか、その程度を言ったりしたいとき

3	2	1
1 ～ほど・～ほどの・～ほどだ	5 ～くらいなら	8 ～にもまして
2 ～くらい・～くらいの・～くらいだ	6 ～だけの	9 ～ないまでも
3 ～ほど～はない・～くらい～はない	7 ～だけまし	
4 ～に限る		

I・1 ～ほど・～ほどの・～ほどだ【～の程度に】 3

①悩んでいたとき、友人が話を聞いてくれて、うれしくて涙が出るほどだった。
②1人暮らしを始めたころは、泣きたくなるほど寂しかったけど、今はもう大丈夫です。
③きのうは山登りに行って、もう1歩も歩けないほど疲れました。
④いじめは子どもにとっては死にたいほどのつらい経験なのかもしれない。
⑤雷が落ちたかと思うほど大きい音がした。

⑥国家試験に合格した。大声で叫びたいくらいうれしい。
⑦その山道は子どもでも歩けるくらいの楽な坂です。
⑧このクイズはむずかしくない。ちょっと考えれば小学生でもできるくらいだ。

　　普通形（主にイAとVの現在形）＋ほど・くらい

▶ 1) ある状態がどのくらいそうなのか、その程度を強調して言いたいときに使う。　2) 話す人の意志を表さない動詞や、動詞の「たい」の形につくことが多い。　3) ⑤は「～かと思うほど」の形で、「実際にそうなったのではないが、そのような極端な状態かと感じられるほど程度が大きい」と比喩で言うときの表現。　4) I・1「～ほど」と I・2「～くらい」は意味・用法がほとんど同じだが、「～ほど」は程度が高い場合に使われることが多い。

　　　× 痛いけれど、がまんできるほどの痛さだ。

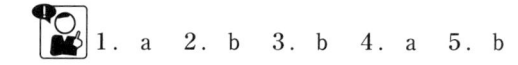

1. b 2. e 3. a 4. c 5. d　　1. a 2. b 3. b 4. a 5. b

○がまんできないほどの痛さだった。

→ 6課Ⅱ・1「～ば～ほど・～なら～ほど・～ほど」

Ⅰ・2 ～くらい・～くらいの・～くらいだ 【～の程度に】 ③

▶ Ⅰ・1「～ほど」と意味・用法がほとんど同じ。

→ 16課Ⅱ・2「～くらい」

Ⅰ・3 ～ほど～はない・～くらい～はない 【～は最高に～だ】 ③

①「暑いわねえ」

「まったく今年の夏ほど暑い夏はないね」

②困っているとき、思いやりのある友人の言葉ほどうれしいものはない。

③旅行前に、あれこれ旅行案内の本を見るほど楽しいことはない。

④彼ぐらいわがままなやつはいない。

⑤やってしまった後で後悔するくらいつまらないことはない。

∞ Vる／N ＋ほど～はない・くらい～はない

▶ 1）主に名詞に続き、話す人が主観的に「そのことは最高に～だ」と感じ、強調して言うときに使う。
  2）客観的な事実については使わない。

×うちの課で東山さんぐらい若い人はいない。

○うちの課で東山さんが一番若い。

Ⅰ・4 ～に限る 【～が一番いい】 ③

①1日の仕事を終えたあとは、冷えたビールに限ります。

②パソコンについてわからないことがあるときは、山田さんに聞くに限ります。

③子どもの育て方で問題を抱えているときは、1人で悩んでいないで、経験者の意見を聞いてみるに限る。

④太りたくなければ、とにかくカロリーの高いものを食べないに限る。

∞ Vる・Vない／N ＋に限る

▶ 1）話す人が主観的に「～が一番いい」と思って、そう主張するときに使う。　2）客観的な判断

を言うときは使わない。

×医者「この病気を治すには、手術に限りますよ」

Ⅰ・5　～くらいなら【～ことをがまんするなら】 2

①自由がなくなるくらいなら、一生独身でいる方がいい。
②あんな店長の下で働くくらいなら、転職した方がましだ。
③こんな面倒な道具を使うくらいなら、自分の手でやった方が早い。
④あんな込んだ電車に乗るくらいなら、早起きしてすいた電車に乗りたい。

∞　Ｖる　＋くらいなら

▶「～くらいなら…」の形で、話者がとてもいやだと思っている行為（～）を取り立て、「そんないやなことに比べれば、…の状態の方がいい」と言いたいときに使う。

Ⅰ・6　～だけの【～に相当する】 2

①とうとう看護師の免許が取れた。この3年間努力しただけのかいはあった。
②この本を買いたいが、5,000円払うだけの価値があるだろうか。
③携帯電話をかけたりかさをさしたりしながら自転車に乗ることを禁止したそうだ。それだけの効果が期待できるのだろうか。
④またプリンターの調子がおかしい？　高い修理代を払っただけのことはやってほしいね。

∞　普通形（ナＡな・ナＡである／Ｎである）　＋だけの

▶「～だけのＮ」の形で、「～に相当するＮがある」と言いたいときの表現。

→3課3「～だけ・～だけの」

Ⅰ・7　～だけまし【別のもっと悪い状況よりはいい】 2

①「大木君、会議だっていうのに、外出しちゃいましたよ」
　「書類をそろえてくれただけましだよ」
②「区民公園の中に区の事務所が建って、公園はだいぶ狭くなりましたね」
　「住民が大事にしている木が残っただけましですよ」

③「せっかくの運動会なのに、天気予報、当たりませんでしたね」

「雨が降らないだけましですよ」

④今度の会長はいろいろ問題がありそうだけど、新世代の人間であるだけましかな。

◯◯◯ 普通形（ナAな・ナAである／Nである）＋だけまし

▶ 1）「もっと悪いことが考えられるが、最低限のことは得られた」と言って、不満だが相手や状況を許す気持ちで使う、やや口語的表現。　2）「まし」は「いいとは言えないが、ほかのもっとよくない状況よりはいい」という意味のナ形容詞。

Ⅰ・8　〜にもまして【〜以上に】

①組織の運営において、資金力にもまして重要なのはリーダーの指導力だ。

②きのう友だちが結婚するという手紙が来たが、それにもましてうれしかったのは友だちの病気がすっかり治ったということだった。

③家庭や施設で十分なケアが得られない子どもたちのことは何にもまして急を要する問題だ。

◯◯◯ N ＋にもまして

▶ 1）「〜もそうだが、それ以上に」と言いたいときに使う。　2）③のように、「疑問詞＋にもまして」の形では、「何よりも・だれよりも・どこよりも」などの意味になる。

Ⅰ・9　〜ないまでも【〜まではできないが／〜まではできなくても】

①ゆっくり話はできないまでも、たまには顔を見せるぐらいはしてほしい。

②選手になれないまでも、せめて趣味でスポーツを楽しみたい。

③給料は十分とは言えないまでも、これで親子４人がなんとか暮らしていけます。

④営業目標は100パーセント達成したとはいえないまでも、一応満足すべき結果だといえる。

◯◯◯ Vない ＋までも

▶「〜の程度には達しなくても、それより下の程度には達する」という意味。「せめて・少なくとも」という気持ちを込めて使う。

Ⅱ　対比　2つ以上のものを対比させて言うとき

3	2	1
1　～に対して	7　～一方（で）	10　～にひきかえ
2　～に反して・～に反する・～に反した	8　～どころか	
	9　～ようか～まいか	
3　～反面・～半面		
4　～というより		
5　～かわりに		
6　～にかわって		

Ⅱ・1　～に対して【～と対比して考えると】 ③

①活発な姉に対して、妹は静かなタイプです。
②日本海側では、冬、雪がよく降るのに対して、太平洋側では晴れの日が続く。
③駅の北側はビルや商店が多いのに対して、南側は静かな住宅街が広がっている。
④今までの炊飯器は使い方が簡単だったのに対して、この新しいタイプはいろいろな炊き方ができる。

⛓　N／普通形（ナAな・ナAである／Nな・Nである）＋の　＋に対して

▶ ある事柄について2つの状況を対比して言うときに使う。

Ⅱ・2　～に反して・～に反する・～に反した【～とは反対に】 ③

①予想に反して試験はとてもやさしかったです。
②部長の期待に反して、彼女は十分力を発揮しないで会社をやめてしまった。
③今回の試合は、多くのファンの願いに反する結果に終わってしまった。

⛓　N　＋に反して

▶ 「Nに反して」の形で、Nには、予想・期待・意図などの言葉が来ることが多い。「結果はそれらとは異なる」と言いたいときに使う。

Ⅱ・3　〜反面・〜半面【一面では〜と考えられるが、別の面から見ると】

①彼女はいつもは明るい半面、寂しがりやでもあります。

②郊外に住むのは、通勤には不便な反面、自然に近く生活するというよさもある。

③コンピューターに頼る生活は、人間の生活を便利で豊かにする反面、素朴な人間らしさを失わせることになるのではないか。

🔗 普通形（ナAな・ナAである／Nである）＋反面・半面

▶ 1）ある事柄について2つの反対の傾向や性質を言うときの言い方。　2）漢字は、より対立的なことを言う場合は「反面」の方を使うことが多い。

Ⅱ・4　〜というより【〜という言い方をするより、むしろ】

①コンピューターゲームは子どものおもちゃというより、今や大人向けの娯楽商品の代表である。

②「この辺はにぎやかですね」

　「にぎやかというより、人通りや車の音でうるさいくらいなんです」

③子ども「選挙で投票するというのは、国民の義務なんでしょう」

　父親　「義務というよりむしろ権利なんだよ」

④（試合が終わって）「やっと勝ったね」

　　　　　　　　　「というより、負けなかったというだけじゃない？」

🔗 ▶ 2）参照

▶ 1）「〜というより…」の形で、あることについて表現したり判断したりするとき、「〜と言うより、（言葉を変えて）…と言った方が当たっている」と言いたいときに使う。　2）接続は、取り上げようとする言葉にそのまま続ける場合が多い。

Ⅱ・5　〜かわりに　A【〜の代理として／〜するのではなく】

①出張中の課長のかわりに、わたしが会議に出ます。

②いつものコーヒーのかわりに、安い紅茶を飲んでみたがけっこうおいしかった。

③市役所に行くのに、自分で行くかわりに、姉に行ってもらった。

④メールをする<u>かわりに</u>、今日はひさしぶりで長い手紙を書いた。

🔗 Ｖる／Ｎの ＋かわりに

▶ ①②は「人や物の代理として、別の人や物が」という意味で、③④は「ふつうすることをしないで別のことをする」という意味。

～かわりに　Ｂ【～の代償として】❸

①この辺は買い物などに不便な<u>かわりに</u>、自然が豊かで気持ちがいい。
②現代人はさまざまな生活の快適さを手に入れた<u>かわりに</u>、取り返しのつかないほど自然を破壊してしまったのではないか。
③ジムさんに英語を教えてもらう<u>かわりに</u>、彼に日本語を教えてあげることにした。
④夫は本は読まない<u>かわりに</u>、新聞はすみずみまで読む。

🔗 普通形（ナＡな・ナＡである／Ｎである）＋かわりに

▶ ①②は「プラス（マイナス）のことがあるが、反対にマイナス（プラス）のこともある」という意味。また、③④は「あることの代償に別のことをする」という使い方。

Ⅱ・6　～にかわって【～の代理として／～ではなく】❸

①本日は駅工事中のためＢ駅行き急行電車は、４番線に<u>かわって</u>６番線から出ます。
②本日は社長に<u>かわり</u>、私、中川がごあいさつを申し上げます。
③普通の電話に<u>かわって</u>、各家庭でテレビ電話が使われるようになる日もそう遠くないだろう。

🔗 Ｎ ＋にかわって

▶ 1)「いつものＮ、通常のＮではなく」と言いたいときに使う。やや硬い言い方。　2) Ⅱ・5「～かわりに　Ａ」で言い換えられることが多い。

Ⅱ・7　～一方（で）【それから、また】❷

①いい親は厳しくしかる<u>一方で</u>、ほめることも忘れない。
②１人暮らしは気楽である<u>一方</u>、寂しさを感じることも多い。
③この出版社は大衆向けの雑誌を発行する<u>一方で</u>、研究書も多く出版している。

④わたしの家では兄が父の会社を手伝う一方、姉がうちで母の店を手伝っている。

🔗 普通形（ナAな・ナAである／Nである）　＋一方（で）

▶ ①②のように、ある事柄について２つの面を対比して示したり、③④のように、あることをするのと並行して別のこともすると述べたりするときに使われる。

Ⅱ・8　〜どころか　A【〜はもちろん、〜も】

①彼は中国語どころか、タイ語やベトナム語もよくできます。
②学校の制服のファッションは、日本の女の子どころかフランスの女の子にも大人気らしい。
③うちの父はお酒はまったくだめで、ウイスキーどころかビールも飲めない。
④となりの部屋に住む人は変な人だ。出会っても話をするどころか、あいさつもしない。

🔗 N／普通形（ナAな・ナAである／Nである）　＋どころか

▶「〜どころか…も（まで・さえ、など）」の形で、「〜はもちろん、もっと程度の重い…もそうだ」または「〜はもちろん、もっと程度の軽い…もそうではない」という意味を表す。

〜どころか　B【〜なんてとんでもない、事実は〜だ】

①タクシーで行ったら道がこんでいて、早く着くどころかかえって30分も遅刻してしまった。
②「先日お貸しした本、どうでしたか。退屈だったんじゃありませんか」
　「退屈などころか寝るのも忘れて読んでしまいましたよ」
③休日に子ども連れで遊園地に出かけるのは、楽しいどころじゃなくほとんど苦しみだ。

🔗 N／普通形（ナAな・ナAである／Nである）　＋どころか

▶ 1)「〜どころか…」の形で、〜という予想や期待を完全に否定して、「事実はその正反対の…だ」と言いたいときに使う。　2)「〜どころか」は「〜どころではなく」の言い方もある。

Ⅱ・9　〜ようか〜まいか【〜をしようか、するのはやめようか】

①朝出かけるとき、かさを持っていこうかいくまいかと迷うのはいつものことだ。
②９月に大切な試験があるので、夏休みに国へ帰ろうか帰るまいか、考えています。

③今晩11時からのテレビの特別番組を見ようか見まいか、迷っています。
④知事は博覧会の開催を延期しようかするまいか、最後の決断を迫られていた。

- Vよう+か ＋Vる+まいか

    (動詞Ⅱ・Ⅲは「V~~ない~~ ＋まいか」もある。「する」は「すまいか」もある)

▶ 1) 話者がどちらがいいかと迷ったり、考えたりするときに使う。 2) 「Vまい」は「Vよう」の否定形で、古い言葉ではあるが、決まった言い方として現在でも使われる。

Ⅱ・10 ～にひきかえ 【～とは反対に／～とは大きく変わって】 ❶

①ひどい米不足だった去年にひきかえ、今年は豊作のようです。
②父が節約家なのにひきかえ、母はほんとうに浪費家だ。
③前の課長が仕事にきちょうめんだったのにひきかえ、今の課長はなにごとにもおおらかですね。

- N／普通形（ナAな・ナAである／Nな・Nである）+の ＋にひきかえ

▶ 前の事柄とは「正反対に」とか「大きく変わって」というような主観的な気持ちをこめて使う。

練習 10 比較・程度・対比

A ☐の中の言葉を使って、＿＿の部分を言い換えなさい。1つの言葉は1回しか使いません。

a に反して	b くらい～はない	c かわりに
d 反面	e にかわって	

1. 病気で試験が受けられなかったが、再試験を<u>受けないで</u>、レポートを提出すればいいということだ。　　　　　（　　　　　　　　）
2. 両親の強い要望により、彼は自分の<u>希望とは反対に</u>進路を変えなければならなかった。　　　　　（　　　　　　　　）

10 比較・程度・対比

3．将来、人間の代替としてロボットが家事を全部やってくれる日が来るだろうか。
　　　（　　　　　　　　　）

4．パソコンで書いた手紙はきれいで読みやすいが、別の面から見るとあたたかみに欠けるのではないか。　　　（　　　　　　　　　）

5．信頼していた友人に裏切られるのは最高につらいことだ。
　　　　　（　　　　　　　　　　）

```
a  ようか～まいか    b  一方で      c  だけまし
d  どころか         e  ないまでも
f  にひきかえ       g  にもまして
```

6．山川さんは忙しい記者生活を送っているが、家族との生活も大切にしている。
　　　　　　（　　　　　　　　　）

7．「これ、バナナケーキなんです。お口に合わないんじゃないかと心配なんですが」
「口に合わないなんてとんでもない、実は大好物なんですよ」
（　　　　　　　　）

8．リンさんに本当のことを言おうか言うのはやめようかと悩んでいる。
　　　　　（　　　　　　　　　　）

9．夕食はカレーだけか。でも、夫は忙しいのに、作ってくれただけでもいいかな。
　　　　　　　　　　　（　　　　　　　　　　）

10．看護師になって1年。先輩たちはみんなとてもやさしいです。でも、それ以上にうれしいのは患者さんの「ありがとう」の一言です。　　（　　　　　　　　　）

11．夕食作りをするのは無理でも、せめて食器洗いぐらい手伝ってください。
　　　（　　　　　　　）

12．課長の仕事のやり方はきちんとしていますね。それに比べて、部長はマイペースでちょっと困る……。　　　　　　（　　　　　　　　　）

B ____の中の言葉を使って、次の文を完成させなさい。1つの言葉は1回しか使いません。

```
a  どころか     b  半面     c  ほど       d  までも
e  にもまして   f  に対して  g  というより
```

わたしは考古学 1_____ おもしろい学問はないと思っている。わたしにとって考古学は学問 2_____ 趣味に近い。考古学者は図書館で古い文書に囲まれて過ごすことも多い 3_____ 遺跡などを発掘するフィールドワークも多い。そのどちらもわたしに合っていると思うからだ。将来は大学で考古学を教えたいと思うが、この仕事は収入 4_____ 支出が意外に多いと聞いている。しかし、何 5_____ 心配なのは、果たしてわたしが今の仕事をやめて、大学に入学できるかどうかということだ。入学できなければ、大学の先生 6_____、高校や中学の教師にさえなれない。考古学科のある有名な大学とは言わない 7_____、せめて史学科のある大学に入りたい。

11 判断の立場・評価の視点

Standpoint of Judgment / Viewpoint of Evaluation
判断的立场，评价的视点
판단의 입장 / 평가의 시점

ものごとを判断するときの立場や評価するときの視点を言いたいときは、どんな言い方がありますか。

知っていますか

a にとって　b として　c わりには　d だけあって　e にしては

1. わたしはクラスの委員＿＿＿、1年間がんばるつもりです。
2. ここは一流ホテル＿＿＿、雰囲気がすばらしい。
3. 水は生物＿＿＿なくてはならないものだ。
4. 今日は春の一日＿＿＿、寒かったですね。
5. あの人は年齢の＿＿＿若く見える。

使えますか

1. { a 議論に時間をかけたわりには、 / b 会議に出席したわりには、 } いい結論が出なかった。
2. 正月はわたしにとって、{ a いつも楽しく過ごします。 / b 1年中でいちばん楽しい時です。 }
3. あの人は仕事の上では { a 満点をあげられる人です。 / b ときどきいねむりをします。 }
4. ここは観光地にしては、{ a 訪れる人が多い。 / b 訪れる人が少ない。 }
5. 弟が仕事をなくして困っているが、{ a わたしにしたところで何もしてやれない。 / b わたしにしたところで何かしてやりたい。 }

答えは次のページにあります。

Ⅰ 判断の立場 ものごとを判断するときの立場を言いたいとき

```
3                    2                              1
1 ～にとって          3 ～の上で・～上・～上の        8 ～なりに・～なりの
2 ～として            4 ～からいうと・～からいえば・
                       ～からいって
                     5 ～からすると・～からすれば・
                       ～からして
                     6 ～にしたら・～にすれば
                     7 ～にしたところで・
                       ～としたところで
```

Ⅰ・1 ～にとって 【～の立場から考えると】

①今、現代人にとって携帯電話は生活の一部である。
②これは普通の絵だけれど、わたしにとっては大切な思い出のものだ。
③石油は現代の工業にとってなくてはならない原料である。
④うちの家族にとって、この犬はもう友だち以上の存在なのです。

　　N ＋にとって

▶ 1) 主に人を表す名詞につながり、いろいろな考えや感じ方がある中で、「その人の立場で考えるとどうであるか・その人にはどう感じられるか」を言いたいときに使う。　2) 後には評価・価値判断を表す文（主に形容詞文）が続くことが多い。

Ⅰ・2 ～として 【～の立場で／～の資格で／～の名目で】

①わたしは前に1度観光客として日本に来たことがある。
②彼は趣味として家具を作っていたが、いつのまにかプロになった。
③会社側としましても、この新製品には自信を持っております。
④S氏は医者としてよりも小説家として有名だ。

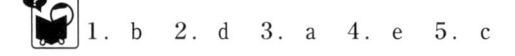

---

1. b　2. d　3. a　4. e　5. c　　　1. a　2. b　3. a　4. b　5. a

⑤ぼくは4月から社会人になります。社会人としての責任感を持ってがんばります。

🔗 N ＋として

▶ 何かをするときや、何かを評価するときの立場・資格・名目・分類などを表す。

Ⅰ・3　〜の上で・〜上・〜上の【〜の方面では／〜を見て評価すると】

①健康診断のデータの上では、わたしの体に問題はない。
②この会に参加するには、形式の上で面倒な手続きをとらなければならない。
③お手元の決算報告書をごらんください。計算上のミスはないつもりですが。
④予算の関係上、今年の社内忘年会はできそうもありません。

🔗 Nの ＋上で　　N ＋上

▶ 1)「〜を見て、または、〜を考えて判断するとどうであるか」を言いたいときに使う。　2)「〜上」は「〜の上で」と同じ意味・用法だが、少し硬い感じになる。ほかに、法律上・習慣上・都合上・生活上・経済上・健康上などの例がある。

Ⅰ・4　〜からいうと・〜からいえば・〜からいって【〜の方面から判断すると】

①仕事への意欲からいうと、田中さんより山下さんの方が上だが、能力からいうと、やはり田中さんの方が優れている。
②小林選手は年齢からいえばもうとっくに引退してもいいはずだが、意欲も体力もまだまだ十分だ。
③リンさんの性格からいって、黙って会を欠席するはずがない。何かあったのではないだろうか。
④妻であるわたしからいっても、あの会での彼の態度は許せるものではない。

🔗 N ＋からいうと

▶ 「それに視点を置いて判断するとどうであるか・その人の視点で評価するとどうであるか」を言いたいときに使う。5「〜からすると」と意味・用法が大体同じ。

Ⅰ・5　〜からすると・〜からすれば・〜からして【〜の立場で考えると】

①観光客からすると、歴史のある町に近代的な建物が増えるのは残念なことだ。

②安全を守るという点からすれば、子どもたちの行動をある程度制限するのはしかたがないことだろう。

③今日の社長の言い方からして、うちの会社は今、厳しい状況にあるようだ。

④このごろリサイクルが盛んに行われている。これは資源の保護から見て望ましいことだが、生産者の側からしても有益なことだと思う。

🔗🔗 N ＋からすると

▶ 判断・評価をする立場・注目する点を表す。「その立場に立って、または、それに注目して考えるとどうであるか」を言うときの表現。Ⅰ・4「～からいうと」と意味・用法が大体同じ。

→ 3課6「～からして」

Ⅰ・6 ～にしたら・～にすれば 【～の立場に立ってみれば】 ❷

①親にしたらぼくのことが心配でしかたがないのだろうが、ぼくはもう大人なのだ。

②住民側からは夜になっても工事の音がうるさいと文句が出たが、建築する側にしたら、少しでも早く工事を完成させたいのだろう。

③ピンクのドレスを着た犬を見た。かわいいと思ったが、犬にすれば迷惑なのではないだろうか。

④子どものことは子ども自身に任せることにした。子どもにしてもその方がいいだろう。

⑤店内の改善案をどんどん店長に言った方がいい。店長にしたってそれはありがたいことであるはずだ。

🔗🔗 N ＋にしたら

▶ 1) 話者がその人の立場に立ってその人の気持ちを代弁するときに使う。話者以外の人を表す名詞につくことが多い。　2)「～にしても」は「別の人の立場に立った場合も」と言いたいときに使う。「～にしたって」はその口語的な言い方。

Ⅰ・7 ～にしたところで・～としたところで 【～の立場でも】 ❷

①会議で決まった方針に少々不満があります。もっともわたしにしたところでいい案があるわけではありませんが。

②こんなに駐車違反が多いのでは、警察にしたところで取り締まりの方法がないだろう。

11 判断の立場・評価の視点

③働く人の立場から仕事がきついと会社に文句を言っても、会社側としたところでどうしようもないのだろう。

⚭ N ＋にしたところで

▶「～にしたところで…」の形で、ふつう、人を表す言葉「～」につき、「その人の立場から考えても状況は…だ」と言いたいときの表現。後の文は「どうしようもない・何も解決法がない」というようなマイナスの判断や弁解が多い。

Ⅰ・8 ～なりに・～なりの【～にふさわしい程度に】

①きのう彼が出した提案について、わたしなりに少し考えてみた。
②あの子も子どもなりにいろいろ心配しているのだ。
③社内での地位が上がったら上がったなりに、責任も重いのです。
④収入が少なければ少ないなりの暮らしを楽しめばいいのだろう。

⚭ N／普通形（ナA） ＋なりに

▶ 1）「その人に、またはその条件に応じた程度に何かをする」と言いたいときに使う。 2）謙遜して遠慮がちにものごとを述べるときに、「わたしなりに」の形でよく使うが、目上の人についてはあまり使わない。

Ⅱ 評価の視点　ものごとを評価するときの視点を言いたいとき

```
③                    ②                    ①
1 ～わりに（は）   ： 2 ～だけあって   ： 4 ～ともなると・～ともなれば
                  ： 3 ～にしては     ： 5 ～ともあろう
```

Ⅱ・1 ～わりに（は）【～こととは不釣り合いに】

①わたしの母は、年をとっているわりには意欲的です。
②きのうの講演会は、思ったわりには人が集まらなかった。
③このレストランの料理は値段のわりにおいしくて量も多いですね。

④今日は風があるから、気温が高いわりには暑く感じないね。

○○○ Nの／V・Aの普通形（ナAな・ナAである）　+わりに（は）

▶ 1)「～のことから考えて当然であると思われる程度に合っていない」と言いたいときに使う。

2) 3「～にしては」と意味・用法がよく似ているが、「～わりに（は）」は不釣り合いであることを問題にしていることが特徴的。「～わりには」の前後には程度を表す表現が来ることが多い。

Ⅱ・2　～だけあって【～ので、それにふさわしく】

①彼は小児科の医者だけあって、子どもの扱い方が上手だ。
②木村さんは若いころ山のガイドをしていただけあって、山のことは何でも知っている。
③このマンションは家賃が高いだけあって、設備がすばらしいね。
④この料理、おいしいなあ。最高級の食材を使っただけあるよ。
⑤姫路城はさすが世界遺産に指定されているだけのことはある。すばらしい建築だ。

○○○ N／普通形（ナAな）　+だけあって

▶ 1)「～にふさわしく」と感心したり、ほめたりするときの言い方。後には高く評価する言葉が来る。「さすが」とともに使われることが多い。　2) ④⑤のように文末では「～だけある・～だけのことはある」という形になる。

Ⅱ・3　～にしては【～にふさわしくなく】

①あの人は新入社員にしては、客の応対がうまい。
②母はもと運動選手だったにしては、体が弱い。
③この作品は文学賞をとった彼が書いたにしては、完成度が低い。
④このレポートは時間をかけて調査したにしては、詳しいデータが集まっていない。

○○○ N／普通形（ナAである／Nである）　+にしては

▶「その事実から考えると、当然とは言えない状態だ」と言いたいときに使う。

Ⅱ・4　～ともなると・～ともなれば【～という程度の立場になると】

①300人も集まるパーティーともなると、しっかりスピーチの準備をしなければならない。

②首相ともなると、忙しくてゆっくり家族旅行などしてはいられないだろう。

③12月ともなれば、街はなんとなく気ぜわしくなる。

④大学の教授ともなれば自分の研究だけでなく、学生や後輩の指導もしなければならない。

🔗 N ＋ともなると

▶「〜ともなると」の「も」は、ある幅をもった範囲のうち、程度がそこまで進んだことを表すから、より程度が進んだことを示す名詞につく。

×子どもともなると、外で遊びたがる。

○2、3歳の幼児はおとなしく家の中で遊ぶが、4、5歳の子どもともなると外で遊びたがる。

×女の子ともなると、将来のことをいろいろ考えるようになる。

○中学生ともなると、将来のことをいろいろ考えるようになる。

Ⅱ・5 〜ともあろう【〜のようなりっぱな】

①大会社の社長ともあろう人が、軽々しい発言をしてはいけない。

②あなたともあろう人がどうしてあんな簡単なうそにだまされたのですか。

③国会議員ともあろう者が脱税をするとは許せない。

🔗 N ＋ともあろう

▶「〜ともあろうN」の形で話者が高く評価している人やもの「〜」につき、「高く評価しているのに実際はそれにふさわしくない行動をした」または「高く評価しているのだからそれにふさわしい行動をしてほしい」などと、話者の感想を述べたいときに使う。

練習 11　判断の立場・評価の視点

A　□の中の言葉を使って、次の文を完成させなさい。1つの言葉を2回ずつ使います。

93

```
a  わりに      b  にとって    c  として
d  だけあって   e  にしては
```

はな子「このくつ3,000円だったの。値段の1＿＿＿＿はきやすいよ」

みち子「そう。わたしのこのくつは高かったよ。でも、一流メーカーのくつ2＿＿＿＿ほ
　　　んとうにはきやすいよ」

はな子「へーえ。でも、一流メーカー品3＿＿＿＿デザインが悪いね」

みち子「このメーカーはね。はじめはかばん専門のメーカー4＿＿＿＿名前を知られてい
　　　たのよ。確かにデザインはあまりよくないけど、ジョギングする人5＿＿＿＿い
　　　ろいろいい点があるのよ」

はな子「いい点って何？」

みち子「まず、かかとの厚さの6＿＿＿＿軽いこと。うすい布でできている7＿＿＿＿丈夫
　　　なこと。軽くて丈夫な運動ぐつ8＿＿＿＿人気があるんだって」

はな子「ふーん。あなたは運動選手9＿＿＿＿、くつにはくわしいね」

みち子「そう。わたし10＿＿＿＿、くつはいちばん大切な道具なのよ」

B ＿＿＿の中の言葉を使って、次の文を完成させなさい。1つの言葉は1回しか使い
ません。

```
a  にとって    b  として    c  わりに
d  上で       e  上
```

わたしは私費留学生1＿＿＿＿2年前に日本に来ました。今ではもう生活の2＿＿＿＿は
何の問題もありません。けれども、日本語はわたし3＿＿＿＿は大変難しく、最初は漢字
を覚えるので精いっぱいでした。漢字だけではなく、文法4＿＿＿＿のさまざまな規則も
めんどうです。でも、めんどうな5＿＿＿＿は覚えやすいです。今は日本語を勉強するの
が楽しいです。

a からすれば	b にしては	c ともなると
d ともあろう	e なりに	

　ぼくの会社の社長は今年80歳。80歳6＿＿＿気持ちが若い。社長はお酒を飲むとすぐよっぱらって乱暴なことを言う。社長7＿＿＿人がこれでは困る。社長8＿＿＿飲む機会が多くなるのだろうが、このくせはやめてほしい。ぼく9＿＿＿、あまり立派な社長とはいえない。ぼくだって新入社員10＿＿＿がんばっているんだから、もっと尊敬できる社長になってほしい。

C　どちらが正しいですか。正しい方の記号を○で囲みなさい。

1．学校の先生たちは今の若者は本を読まないと言うが、生徒たちにすれば、
　　　　　　　　　　　　　　　　{ a 本よりもおもしろいものがあるのだろう。
　　　　　　　　　　　　　　　　{ b 先生も本を読まないのだろう。

2．この2枚の絵は、表面上、{ a とてもきれいです。
　　　　　　　　　　　　　{ b 何の違いもありません。

3．{ a ベテランの歌手ともなると、} 歌い方がやはり違うね。
　 { b 新人の歌手ともなると、　　}

4．{ a 学生ともあろう人が } どうしてそんな乱暴な発言をするんですか。
　 { b 学長ともあろう人が }

5．部屋が狭ければ狭いなりに、{ a もっと広い家に引っ越ししたい。
　　　　　　　　　　　　　　 { b 工夫して楽しく暮らそう。

12 基準

Basis of Action
基准
기준

何かを基準にして動作が行われると言いたいときは、どんな言い方がありますか。

知っていますか

a　とおりに　b　をもとにして　c　に基づいた
d　に沿って　e　のもとで

1. 今日のスピーチ大会は、このプログラム＿＿＿行います。
2. これはある伝説＿＿＿作られたドラマです。
3. 田中先生のご指導＿＿＿、この論文を書きあげました。
4. 法律＿＿＿公正な選挙が行われなければならない。
5. 教科書に書いてある＿＿＿実験をやってみたが、うまくいかなかった。

使えますか

1. 受験は { a 本人が望んでいたように / b 本人が望んでいたような } 結果にはならなかった。
2. { a この犬は動物好きな田中さん夫妻のもとで / b 田中さん夫妻はかわいい犬のもとで } 毎日幸せそうに過ごしています。
3. ひらがなとかたかなは、漢字をもとにして { a 使われた。/ b 作られた。}
4. 小説はかならずしも読者の期待に沿って { a 話が展開するわけではない。/ b おもしろいわけではない。}
5. 教育は平等の原則に基づいて { a たいへん重要だ。/ b 行われなければならない。}

答えは次のページにあります。

12 基準

基準 何かを基準にして動作が行われると言いたいとき

3	2	1
1　～ように・～ような	5　～に沿って・ 　　～に沿う・ 　　～に沿った	8　～に即して・ 　　～に即した
2　～とおり（に）・～とおりの・ 　　～とおりだ	6　～に基づいて・ 　　～に基づく・ 　　～に基づいた	9　～を踏まえて・ 　　～を踏まえた
3　～をもとに（して）・～をもとにする・～をもとにした	7　～のもとで・ 　　～のもとに	
4　～を～に（して）・～を～として・ 　　～を～にする・～を～とする・ 　　～を～にした・～を～とした		

1　～ように・～ような 【～とだいたい同じに】

①大けがをした後、体が思うように動かなくなってしまった。
②人間に感情があるように、人間以外の動物にも感情があるはずだ。
③ご存じのように、この町には「山下」という姓が多いです。
④この実験では、わたしが期待していたようなデータは得られなかった。

　Nの／普通形（ナAな・ナAである／Nである）＋ように

▶ 一致する内容であることを表す。文書などで、「次のように・左記のように」などとはじめに書いておいて、その後で詳しく内容を書くという形式でもよく使われる。2「～とおり（に）」と意味・用法がだいたい同じ。
　　　　　　　　　　　　　　　　　　　　　　　　→2課Ⅰ・1「～ように」

2　～とおり（に）・～とおりの・～とおりだ 【～と同じに】

①わたしの言ったとおりにやってみてください。
②ものごとは自分の考えどおりにはいかないものだ。
③試合の結果はわたしが思っていたとおりだった。
④この本の作者に初めて直接会うことができた。前から想像していたとおりの人だった。

---

1. d　2. b　3. e　4. c　5. a　　　　1. b　2. a　3. b　4. a　5. b

⑤この本に書いてあるとおり、インターネットにはいろいろな問題点があるのです。

🔗　Vる・Vた／Nの　＋とおり（に）　　N　＋どおり（に）

▶一致する内容であることを表す。1「～ように」と意味・使い方が同じだが、「まったく同じに」という感じが強い。

3　～をもとに（して）・～をもとにする・～をもとにした
　　【～を素材にして／～からヒントを得て】

①このドレスは、日本の着物の形をもとに新しくデザインしたものです。
②この映画は歴史的な事実をもとにして作られたものである。
③若いころ体験したことをもとにして、小説を書いてみようと思っています。
④流行歌の中には有名なクラシックの曲の一部をもとにしたものがある。

🔗　N　＋をもとに（して）

▶1）あるものが生み出されるときの素材を表す。「その素材を生かしながら何かをする」と言いたいときに使われ、後には、書く・話す・作る・創作する、などの意味を持つ文が来る。　2）6「～に基づいて」と意味が似ているが、「～をもとにして」は、それから具体的な素材を得るだけであり、「精神的に離れずに」という気持ちは薄い。

4　～を～に（して）・～を～として・～を～にする・～を～とする・～を～にした・～を～とした　【～を～であると考えて】

①祖父は今日も孫のヒロシを話し相手にして散歩に出かけた。
②今回のキャンプを最後に、わたしたちのグループは解散することになった。
③卒業を1つの区切りとして、これからは自立して生きていきたい。
④この大会に参加できるのは社会奉仕を目的とする団体だけです。
⑤この研究会では環境問題を中心としたさまざまな問題を話し合いたいと思う。

🔗　N　＋を＋N　＋に（して）

▶「N₁をN₂にして」という形で、ある行動や場面において、N₁はN₂であると言いたいときの表現。

5 ～に沿って・～に沿う・～に沿った 【～に合うように／～に従って】

①この学習計画表に沿って、毎日少しずつ単語の勉強を進めていくつもりです。
②ただ今のご質問に対してお答えします。ご期待に沿う回答ができるかどうか自信がありませんが……。
③製品の説明をするときは、マニュアルに沿ったやり方で進めれば失敗はないだろう。

N ＋に沿って

▶「～から離れないで・～からずれないで」という意味を表す。期待・希望・方針・マニュアルなどの語につくことが多い。

6 ～に基づいて・～に基づく・～に基づいた 【～を基本にして】

①わたしは自分の経験に基づいて、意見を述べたいと思います。
②この小説は歴史的事実に基づいて書かれたものです。
③わたしは、彼の人道主義に基づく考え方に同感した。
④これはただの推測ではなく、たくさんの実験データに基づいた科学的事実である。

N ＋に基づいて

▶「～を考え方の基本にして、あることをする」と言いたいときに使う。「精神的に離れずに・忠実に」というニュアンスで使う。

7 ～のもとで・～のもとに 【～を頼って／～の下で】

①わたしは、いい環境、いい理解者のもとで、恵まれた生活を送ることができた。
②ぼくは今、作曲家の小林先生のもとで作曲を勉強しています。
③当社の薬品は厳しい管理のもとに保存されています。
④新しいリーダーのもとに、人々は協力を約束し合った。

N ＋のもとで

▶「～の影響の下で・～の影響を受けながら」という意味。

8 ～に即して・～に即した【～に従って】

①規則は、その時々の実情に即して変えることがあってもいいのではないでしょうか。
②現行の法律に即してものごとの可否を判断しなければならない。
③非常事態でも、人道に即した行動がとれるようになりたい。

○○ N ＋に即して

▶そのことが基準になるという意味。事実・規範を表す名詞につく。

9 ～を踏まえて・～を踏まえた【～を土台や前提にして】

①本日は前回の中間報告を踏まえて、活発な討論を進めていきたいと思います。
②わが社は今回の事業の失敗という事実を踏まえて、次の事業計画を立てなければならない。
③子育て支援については、現実を踏まえた柔軟な対応が必要だろう。

○○ N ＋を踏まえて

▶「あることを土台や前提にした上で、考えや行動を進める」と言いたいときに使う。

練習 12 基準

A □の中の言葉を使って、次の文を完成させなさい。1つの言葉はⅠ、Ⅱそれぞれで、1回ずつしか使いません。

| a　ような | b　どおり | c　に沿って |
| d　に基づく | e　をもとにして | f　のもとに |

Ⅰ　この作家は大病の後、親の保護1＿＿＿＿静かに暮らしていた。そして、その時、母親から聞いた話2＿＿＿＿書いたのがこの作品である。伝統的な小説作法3＿＿＿＿創作したようだ。若い人が好む4＿＿＿＿話ではないが、史実5＿＿＿＿貴重な作品である。予想6＿＿＿＿今年の賞を受けた。

12 基準

Ⅱ 次の1＿＿＿＿スケジュールで工場見学を行いますので、どうぞご参加ください。見学は案内図2＿＿＿＿、順番に行います。第1工場では不用ガラスびん3＿＿＿＿新しい素材を作り出す行程を見ることができます。これはA大学の山田先生のご指導4＿＿＿＿実験を行ってきたものです。われわれの期待5＿＿＿＿の結果が得られました。今回ご覧いただくのはその実験結果6＿＿＿＿ものです。

B ＿＿＿の中の言葉を使って、例のように前の文と後の文をつなげなさい。1つの言葉は1回しか使いません。 ❸❷❶

a どおりに	b とおりに	c ような
d をもとにして	e のもとでは	f を中心にして
g に基づく	h に即して	i を踏まえて

例　説明書＿a＿、ケ。　　　　　　　ア　全国的に雨が降ります。
1．自然界にある物質＿＿＿、＿＿＿。　イ　新しい企画を考えてみよう。
2．あすは関東地方＿＿＿、＿＿＿。　　ウ　正しくかたかなを書きなさい。
3．前回の研修会の反省＿＿＿、＿＿＿。エ　記事が少ない。
4．わたしが発音する＿＿＿、＿＿＿。　オ　罰する。
5．違反者は規定＿＿＿、＿＿＿。　　　カ　自由な発想は生まれないと思う。
6．この雑誌は最新の情報＿＿＿　＿＿＿。キ　次々に新しい化合物が作られる。
7．軍事体制＿＿＿、＿＿＿。　　　　　ク　日程で北海道へ行く。
8．ここに書いてある＿＿＿　＿＿＿。　ケ　組み立てて、本箱を作った。

13 関連・対応

Dependency / Correspondence
关联，对应
관련 / 대응

2つのものごとの間に関連があると言いたいときは、どんな言い方がありますか。

知っていますか

a　によって　　b　によっては　　c　をきっかけに　　d　のたびに
e　に応じて

1. フランス旅行＿＿＿＿、わたしはフランス料理を習い始めた。
2. 人は地位＿＿＿＿、社会的責任も重くなる。
3. 場合＿＿＿＿、今夜は家に帰れないかもしれません。
4. 同じ料理でも、店＿＿＿＿、味が違う。
5. あの人は出張＿＿＿＿、書類を入れるかばんを買い替える。

使えますか

1. 天気によって、 { a ここから富士山が見えたり見えなかったりする。
                    b ここから富士山は見えない。

2. テレビに出たことがきっかけで、 { a うれしかった。
                                      b 急に友人が増えた。

3. 母は美容院へ行くたびに、 { a 髪型を変える。
                               b 楽しそうだ。

4. この音楽を聴くにつけて、 { a とても懐かしい。
                               b 子どものころのことを思い出す。

5. { a 解決方法があるのは、
     b どんな解決方法を選ぶかは、 } あなたの考え方次第です。

答えは次のページにあります。

102

13 関連・対応

関連・対応 2つのものごとの間に関連があると言いたいとき

3	2	1
1 ～によって・～による	5 ～次第で・～次第だ	10 ～いかんで・～いかんによって・～いかんだ
2 ～によっては	6 ～次第では	
3 ～たび（に）	7 ～に応じて・～に応じた	
4 ～をきっかけに（して）・～をきっかけとして	8 ～につけて	11 ～いかんでは・～いかんによっては
	9 ～を契機に（して）・～を契機として	

1 ～によって・～による【それぞれの～に対応して】 3

①わたしはその日の気分によって、服を変えます。
②最近は日によって暑かったり涼しかったりですね。
③人により、考え方はいろいろだ。
④季節による風景の変化は、詩や歌の題材になることが多い。

N ＋によって

▶ さまざまな種類や可能性を表す名詞につき、それぞれに対応して後の事柄もそれぞれ違うことを表す。後には、「違っている・同じではない」という意味を表す文が来る。

→2課Ⅱ・1「～によって・～による」／19課Ⅰ・1「～によって・～による」

2 ～によっては【ある～の場合は】 3

①この地方は、年によっては3～4回も台風の被害を受けることがある。
②母が病気なので、場合によっては研修旅行には参加できないかもしれません。
③うちの近所の人たちはみんな早起きだ。人によっては4時ごろ起きるようだ。

N ＋によっては

▶「～によっては…」の形で、さまざまな種類や可能性を表す名詞「～」につき、「そのうちのある場

---

1. c 2. e 3. b 4. a 5. d   1. a 2. b 3. a 4. b 5. b

合は…のこともある」と言いたいときに使う。「～によって」の用法の一部。さまざまな種類の中の1つだけを取り出して述べる言い方。

3　～たび（に）【～のときはいつも】

①わたしは引っ越しのたびに本を整理してきた。
②あの人は会うたびにおもしろい話を聞かせてくれる。
③父は外国に行くたびに珍しいおみやげを買ってくる。

🔗　Vる／Nの　＋たび（に）

▶「あることが起こると、そのときはいつも同じことになる」と言いたいときに使う。

4　～をきっかけに（して）・～をきっかけとして
【～が、ものごとを始める直接の原因で】

①今度の選挙をきっかけに、わたしは政治に関心を持つようになった。
②テレビで料理番組を見たのをきっかけとして、わたしも料理を習おうと思った。
③ある日本人と友だちになったことがきっかけで、日本留学を考えるようになった。

🔗　N　＋をきっかけに（して）

▶あることを始めた直接の原因・動機を言うときの表現。③のように「～がきっかけで」の形もある。

5　～次第で・～次第だ【～で】

①言葉の使い方次第で相手を怒らせることもあるし、喜ばせることもある。
②夏の天候次第で秋の果物の甘さが決まるのだそうだ。
③国の援助を受けられるか受けられないかは、この仕事の結果次第です。

🔗　N　＋次第で

▶主として程度や種類の違いを表す語につき、「それに対応してあることが変わる、あることを決める」と言いたいときに使う。1「～によって」、10「～いかんで」と大体同じ意味・用法だが、「～によって」より硬い言い方、「～いかんで」より一般的に使われる言い方。→24課Ⅱ・10「～次第だ」

6 ～次第では【ある～の場合は】

①病状の進み方次第では、手術をしなければならないだろう。
②道の込み方次第では、着くのが大幅に遅れるかもしれません。
③こちらの頼み方次第では、彼がこの仕事を引き受けてくれる可能性もある。

🔗 N ＋次第では

▶「～次第では…」の形で、主として程度や種類の違いを表す語「～」につき、「そのうちのある場合は…のこともある」と言いたいときに使う。「～次第で」の用法の一部。いろいろな可能性の中の1つを取り上げて述べる言い方である。2「～によっては」、11「～いかんでは」と大体同じ意味・用法だが、「～によっては」より硬い言い方、「～いかんでは」より一般的に使われる言い方。

7 ～に応じて・～に応じた【～に対応して】

①アルバイト料は労働時間に応じて計算される。
②緊急の場合は状況に応じて指示を出しますから、それに従ってください。
③当店ではお客様のご予算に応じてお料理をご用意いたします。
④わたしは毎日その日の体調に応じた運動をするようにしています。

🔗 N ＋に応じて

▶「～が変われば、それに合わせてあることを決める・あることが変わる」という意味を表す。

8 ～につけて【～に関連していつも】

①子どもたちの遊び方を見るにつけて、わたしは子どものころの自分を思い出す。
②ビバルディの「四季」という曲を聴くにつけ、この曲の透明な美しさに感動する。
③彼女は何ごとにつけても、他人を非難する人だ。
④母は体の調子がいいにつけ悪いにつけ、神社に行って手を合わせている。

🔗 Vる ＋につけて

▶ 1)「たまたま同じ状況にあるとき、それに関連していつも同じ感情が起こる」という意味。後の文には話者の気持ちに関係がある文が来ることが多い。 2)「見る・聴く・考える」などの動詞につく例が多い。③④のような慣用表現もある。

9　～を契機に（して）・～を契機として【～をちょうどいい機会だと考えて】

①彼女は就職を契機にして、親から独立して1人暮らしを始めた。
②転居を契機に、これからは何かいい趣味をもって生活を楽しもうと思った。
③今度の入院を契機として、今後は定期検診をきちんと受ける決心をした。

　　N ＋を契機に（して）

▶ 1）「～をいい機会だと考え、または、～を新たな行動の発端にして」と言いたいときに使う。後にはプラスの意味の文が来ることが多い。　2）意味・用法は4「～をきっかけに（して）」とほとんど同じだが、「～を契機に（して）」はできごとや動作を表す名詞につながることが特徴的である。

10　～いかんで・～いかんによって・～いかんだ【～に対応して】

①選挙の結果いかんで、今後の政治の方針が決まるのだ。
②商品の説明のしかたいかんで、売れ行きに大きく差が出てきてしまう。
③国の予算の使い方いかんによって、国民の暮らしやすさが左右されると思う。
④今度の事件をどう扱うかは校長の考え方いかんです。

　　N（の）＋いかんで

▶ 1）主として程度や種類の違いを表す語につながり、「それに対応してあることが変わる・あることを決める」と言いたいときに使う。　2）5「～次第で」と意味・用法が同じだが、硬い形式的な言い方。

11　～いかんでは・～いかんによっては【ある～の場合は】

①選挙の結果いかんでは、政権が変わるかもしれない。
②本の売れ行きいかんでは、すぐに増刷ということもあるでしょう。
③出港は午後3時だが、天候のいかんによっては、出発が遅れることもある。

　　N（の）＋いかんでは

▶ 1）主として程度や種類の違いを表す語につき、「そのうちのある場合は…のこともある」と言いたいときに使う。「～いかんで」の用法の一部。いろいろな可能性の中の1つを取り上げて述べる言い方。　2）6「～次第では」と意味・用法が同じだが、硬い形式的な言い方。

練習 13 関連・対応

A □の中の言葉を使って、＿＿＿の部分を言い換え、記号で答えなさい。1つの言葉は1回しか使いません。

> a　によって　　　　b　によっては　　　c　たびに
> d　をきっかけとして　e　次第だ　　　　　f　に応じた
> g　につけて

1. この会では、年齢や条件にあったアルバイトを紹介します。
　　　　　　　（　　　）
2. 年が違えば、1年間の総雨量が違う。
　（　　　）
3. 同窓会での再開がチャンスになって、2人はまた親しくつき合うようになった。
　　　　　　（　　　）
4. あの人は何かの場合にいつも、自分の親のことを自慢する。
　　　　　　　（　　　）
5. わたしの家は古いので、地震のときはいつも大きく揺れる。
　　　　　　　　　（　　　）
6. わたしの電話代は2万円を超える月もある。
　　→わたしの電話代は、月（　　　）2万円を超える。
7. 客が増えるか増えないかは、営業の努力によって決まる。
　　　　　　　　（　　　）

B ＿＿＿の中の言葉を使って、次の文を完成させなさい。1つの言葉は1回しか使いません。

```
a に応じて      b 次第では    c につけて
d を契機にして   e いかんだ
```

　この会社は新しい発想に基づいた介護サービスの開発1＿＿＿、急速に成長した。この成長は、新しい発想への挑戦にスタッフが意欲的になるのもならないのも、トップの人たちの指導2＿＿＿ということを示していると思う。今後、専門的サービス技術の伸び方3＿＿＿、この会社は業界の指導的役割を演じることになるだろう。また、社会の必要4＿＿＿、会社のサービス分野も変わっていくと思う。わたしは高齢化社会と介護サービスについての報道を目にする5＿＿＿、この会社の将来性を感じるのである。

C 次の文の＿＿＿に入る最もよいものを選んで、その記号を○で囲みなさい。

1. この山は ＿＿＿ ＿＿＿ ＿＿＿ ＿＿＿ 変化する。
　　a 位置と角度　b 見る　c いろいろに　d によって

2. 面接試験の合否は、あなたの ＿＿＿ ＿＿＿ ＿＿＿ ＿＿＿ だと思います。
　　a 熱意　b 仕事　c 次第　d に対する

3. この高齢者施設では入居者の ＿＿＿ ＿＿＿ ＿＿＿ ＿＿＿ を計画している。
　　a 好み　b レクリエーション　c 楽しい　d に応じた

4. わたしは今まで、＿＿＿ ＿＿＿ ＿＿＿ ＿＿＿ しなければならなかった。
　　a 仕事を　b 手続きを　c 面倒な　d 変えるたびに

5. 日本に来たばかりのころは、＿＿＿ ＿＿＿ ＿＿＿ ＿＿＿ のは国の家族のことだった。
　　a 何を　b につけても　c 思い出す　d 見る

6. わたしは ＿＿＿ ＿＿＿ ＿＿＿ ＿＿＿ この会を退会することになるだろう。
　　a 会長の態度　b いかん　c は　d によって

14 無関係・無視・例外

Unrelated Conditions / Exceptions
无关，无视，例外
무관계 / 무시 / 예외

関係ない・考えに入れない・例外だ、と言いたいときは、どんな言い方がありますか。

知っていますか（2回使うものもあります）

a　にかかわりなく　　b　はともかく　　c　もかまわず

1. この仕事は内容＿＿＿＿、給料の面でちょっと問題がある。
2. 値段の高い安い＿＿＿＿、いい物は売れるという傾向がある。
3. 田中さんは相手の都合＿＿＿＿仕事を頼んでくるので、本当に困る。
4. この店の料理は値段＿＿＿＿、味は最高だ。
5. 電車の中で人が見ているの＿＿＿＿泣いている女の人を見た。

使えますか

1.
   - a　会に参加するしないにもかかわらず、
   - b　会に参加するしないにかかわらず

   アンケートにはお答えください。

2. 交通信号が赤なのもかまわず、
   - a　あの人は道を渡ってしまった。
   - b　道を渡ってしまおう。

3. このアパートは家賃の高さはさておき、
   - a　部屋も広くていい。
   - b　環境がとても気に入った。

4.
   - a　この仕事は経験の有無を問わず、
   - b　この仕事は若い人やお年寄りを問わず、

   だれでも応募できます。

5. その車を買うかどうかはともかくとして、
   - a　やっぱり買うことにしよう。
   - b　まず見に行こう。

答えは次のページにあります。

無関係・無視・例外　関係ない・考えに入れない・例外だ、と言いたいとき

┌───┐
│ **3**　　　　　　　　　　　**2**　　　　　　　　　　　**1**
│
│ 1　～にかかわりなく　　　2　～にかかわらず　　　　　7　～いかんによらず・
│ 　　　　　　　　　　　　　3　～を問わず・～は問わず　　　～いかんにかかわらず
│ 　　　　　　　　　　　　　4　～もかまわず　　　　　　8　～をものともせず(に)
│ 　　　　　　　　　　　　　5　～はともかく（として）　9　～をよそに
│ 　　　　　　　　　　　　　6　～はさておき　　　　　10　～はいざしらず・
│ 　　　　　　　　　　　　　　　　　　　　　　　　　　　　～ならいざしらず
└───┘

1　～にかかわりなく【～に関係なく】 **3**

①このデパートは曜日にかかわりなく、いつもこんでいる。

②この高校のラグビー部では、天候にかかわりなく毎日練習があります。

③今回の研修旅行に参加するしないにかかわりなく、こちらの用紙に必要事項をお書きください。

④金額の多少にかかわらず、寄付は大歓迎です。

⑤経験があるかないかにかかわらず、やる気のある人を採用します。

⑥このグループのいいところは、社会的な地位にかかわらず、だれでも言いたいことが言えることだ。

🔗　N　＋にかかわりなく・にかかわらず

▶ 1)「～にかかわりなく…」の形で「～がどうであっても、またどちらであっても、…が言える」という意味。　2) ③④⑤のように、対立関係にある言葉を受けることが多い。

───

1. b　2. a　3. c　4. b　5. c　　　　1. b　2. a　3. b　4. a　5. b

14　無関係・無視・例外

2　〜にかかわらず【〜に関係なく】

▶ 1「〜にかかわりなく」と意味・用法が大体同じ。

3　〜を問わず・〜は問わず【〜に関係なく】

①年齢・性別を問わず、どなたでも入会できます。（入会案内）
②この会では堅苦しい主義・主張は問わず、できるだけ自由な意見を出し合いたいのです。
③この辺りは若者に人気がある街で、昼夜を問わずいつもにぎわっている。
④近年、文化財保護の問題は、国の内外を問わず大きな関心を呼んでいる。

○○　N　＋を問わず・は問わず

▶ 1)「〜を問わず…」の形で「〜がどうであっても、またどちらであっても、…が言える」という意味。　2) 対立関係にある言葉に続くことが多い。　3) 1「〜にかかわりなく」、2「〜にかかわらず」と意味・用法が大体同じ。

4　〜もかまわず【〜も気にしないで】

①父は身なりもかまわず出かけるので、いっしょに歩くのが恥ずかしい。
②電車の中で人目もかまわず化粧している女の人をどう思いますか。
③あの高校生は、ここが駐輪禁止であるのもかまわず、自転車を置いて行ってしまった。
④アパートのとなりの人はいつも夜遅いのもかまわず、大きな音で音楽を聞いている。

○○　N／普通形（ナAな・ナAである／Nな・Nである）＋の　＋もかまわず

▶「普通は注意を払うことだが、それを気にしないで」という意味を表す。②の「人目もかまわず」は慣用的表現。

5　〜はともかく（として）【〜は今は問題にしないで】

①あの子は、学校の成績はともかく、だれに対してもやさしくて友だちが多いのです。
②コストの問題はともかく、重要なのはこの商品が売れるかどうかだ。
③この計画は実行できるかどうかはともかくとして、まず実行する価値があるかどうかをもう1度よく考えてみよう。

⊂⊃⊃ N（+助詞） +はともかく（として）

▶「~はともかく…」の形で、「~は問題があっても、今はそれを考えるよりも…を優先させて考える」という気持ちで使う。

6 〜はさておき【〜は今は考えの外に置いて】

①就職の問題はさておき、今の彼には健康を取り戻すことが第一だ。
②責任がだれにあるのかはさておき、今は今後の対策を考えるべきだ。
③（2人の男の人が別の話をした後）
　「それはさておき、例のことはどうなっているんだろう」
　「中国進出の話？　聞いてないなあ」

⊂⊃⊃ N（+助詞） +はさておき

▶「〜はさておき…」の形で、「今は〜を考えの外に置いて、…の方を考える」という意味を表す。

7 〜いかんによらず・〜いかんにかかわらず
【〜がどうであっても、それに関係なく】

①理由のいかんによらず、会場使用のキャンセルについてはキャンセル料をいただきます。
②試験の結果いかんによらず、試験中に不正行為のあったこの学生の入学は認められない。
③進行状況のいかんによらず、中間報告を提出してください。
④この奨学金は、成績のいかんにかかわらず、経済的な必要度の高い学生に与えられる。
⑤この区では、場所のいかんにかかわらず路上喫煙は禁止です。

⊂⊃⊃ N（の） +いかんによらず

▶「N（の）いかんによらず・いかんにかかわらず」の形で、「Nがどうであっても、それに関係なく後のことが成立する」という意味を表す。

8 〜をものともせず（に）【〜に負けないで】

①山田選手はひざのけがをものともせず決勝戦に出た。

②家族の猛反対をものともせずに、石田さんは会社をやめて料理屋を開いた。
③村の人々は山で遭難した人を助けるため、風雨をものともせずに出発した。

◯◯ N ＋をものともせず（に）

▶ 1）「困難に負けないで、何かに勇敢に立ち向かう」という意味を表す。　2）話者自身の行為には使わない。

9 〜をよそに 【〜を自分とは関係ないものとして】

①家族の期待をよそに、彼は結局大学には入らずにアルバイト生活を続けている。
②老人や低所得者層の不安をよそに、ふたたび増税が計画されている。
③忙しそうに働く人々をよそに、彼は１人マイペースで自分の研究に打ち込んでいた。
④うちの父は、中高年のパソコンブームをよそに、今でも手書きの手紙をていねいに書く。

◯◯ N ＋をよそに

▶「〜を自分に関係のあることと、とらえるのが普通だが、この場合は自分とは関係ないものとして」という意味で使う。

10 〜はいざしらず・〜ならいざしらず 【〜は特別だから例外だが】

①「美術館はこんでいるんじゃないかしら」
　「土日はいざしらず、ウイークデーだから大丈夫だよ」
②知らなかったのならいざしらず、知っていてこんなことをするなんて許せない。
③神様ならいざしらず、普通の人間には明日何が起こるかさえわからない。まして１年先のことなんて……。

◯◯ N（＋助詞）＋はいざしらず

　　N（＋助詞）／普通形（＋の）（ナA・ナAなの／N・Nなの）＋ならいざしらず

▶「その場合は別だが」と除外してしまうときの言い方。

練習 14 無関係・無視・例外

A どちらが正しいですか。正しい方の記号を○で囲みなさい。

1. コンビニは昼夜 { a を問わず、 / b はさておき、 } 営業している。

2. 合格するかどうか { a はともかくとして、 / b もかまわず、 } いちおう受験してみるつもりだ。

3. 会長の責任問題 { a を問わず、 / b はさておき、 } 今はどうやって会をまとめるかを考えよう。

4. 最近、他人がどう思うか { a はさておき、 / b もかまわず、 } 電車の中で物を食べている人を見かける。

5. 面接の結果は、採否 { a にかかわらず、 / b はともかく、 } 手紙で通知します。

6. 山田さんの家庭事情 { a にかかわらず、 / b をよそに、 } 会社は彼を異動させた。

7. 伊藤さんは経済的困難 { a もかまわず、 / b をものともせず、 } いつも力強く生きている。

8. サッカーの試合は天候 { a はさておき / b のいかんによらず } 行われます。

9. きちょうめんな青山さん { a ならいざしらず、 / b はさておき、 } あの池田さんがあの時のメモを持っているはずがないでしょう。

B ☐の中の言葉を使って、次の文を完成させなさい。1つの言葉は1回しか使いません。

a もかまわず	b にかかわらず		
c をものともせずに	d よそに	e ともかく
f はいざしらず	g はさておき		

わたしの友だちはみんな、うちの家族はおもしろいと言う。おもしろいかどうかは1＿＿＿＿、ちょっと変なことは確かだ。まず、父だ。父はもう定年を過ぎたのに、仕事があるない2＿＿＿＿、毎日どこかへ出かけていく。いったいどこへ行くのかは、神様3＿＿＿＿、家族のだれも知らない。次は、母。母は、「あそこの奥さんは……」という近所の人たちの視線を4＿＿＿＿、毎日着飾ってショッピングだ。姉は朝、時間がないからと言って髪もとかさずに家を出ていく。きっと、他人の迷惑5＿＿＿＿、電車の中で長い髪をとかしているに違いない。弟はどうかというと、こんな家庭環境6＿＿＿＿、勉強一筋だ。こんな家族でも、夜になるとなんとなく集まって、おしゃべりする。さて、家族のこと7＿＿＿＿、わたしもそろそろ25歳。自分探しの旅に出ようか。

15 例示

Giving Examples
举例
예시

例を挙げたいときはどんな言い方がありますか。

知っていますか

a とか　b や　c にしても　d やら　e にしろ

1. 机の上には資料や図面＿＿＿色鉛筆などが置いてある。
2. ただぶらぶらしていないで、本を読むとか旅行をする＿＿＿、もっと休みを有効に使ったらどうですか。
3. 太郎にしても次郎＿＿＿、うちの子はどうしてみんな運動が苦手なんだろう。
4. 日本語では漢字やらひらがな＿＿＿、3つも文字を覚えなければならない。
5. 天ぷらを揚げるにしろ、ケーキを焼く＿＿＿、料理は火加減が大切だ。

使えますか

1. 決まったら { a メールするやらファクスするやらして / b メールするとかファクスするとかして } 知らせてください。
2. わたしは { a 桜とか梅とかいった / b 桜やら梅やらいった } 木に咲く花が好きだ。
3. あけみさんとかミナさんとか、{ a クラスにはいません。 / b クラスには人気者が多い。 }
4. 大学にせよ専門学校にせよ、{ a あなたはどちらに行くのですか。 / b 行くなら目的をはっきり持ちなさい。 }
5. 彼の部屋には大型テレビやら高級ソファやら、{ a 高そうなものがいっぱいある。 / b 何もない。 }

答えは次のページにあります。

例示　例を挙げたいとき

```
③                      ②                        ①
1  ～とか～とか       3  ～といった              7  ～なり～なり
2  ～にしても～にし   4  ～にしろ～にしろ・      8  ～といい～といい
   ても                 ～にせよ～にせよ        9  ～といわず～といわず
                     5  ～やら～やら           10 ～であれ～であれ・～で
                     6  ～というか～というか      あろうと～であろうと
```

1　～とか～とか【～や～など】③

① 寒い日は、野菜とか肉とか豆腐とかをいっぱい入れたなべ物を作ります。

② 親と話し合うとか先輩に相談するとかして、早く進路を決めなさい。

③ わからないところは、詳しい人に聞くとかネットで調べるとかしてください。

④ 小川さんが離婚するとか家を出たとかいう話を聞きましたが、本当ですか。

⑤ 好きだとかきらいだとか言わないで、ちゃんと食べなさい。

🔗　N／Vる／普通形　＋とか

▶ 1）あるものごとや方法の同類の具体例をいくつか示したいときの言い方。　2）②③のように方法の具体例の場合は「～とか～とかして」の形になる。また、④のように「～とか～とかいうN」の形もよく使う。　3）⑤は「～とか～とか言う」の形で、対立する言葉やいろいろに変わる発言内容を並べて、言うことがいつも変わってはっきりしないことを非難する文。

2　～にしても～にしても【～でも～でも】③

① めがねにしてもバッグにしても、あの人の持ち物はみんな高そうだ。

② ハンバーガーにしてもピザにしても、わたしが好きなものはみんなカロリーが高い。

③ 賛成するにしても反対するにしても、ちゃんと理由を言ってください。

---

　1. b　2. a　3. c　4. d　5. e　　　　1. b　2. a　3. b　4. b　5. a

④柔道にしろサッカーにしろ、スポーツにけがはつきものです。
⑤リンさんにしろカンさんにしろ、優秀な人たちはみんな時間を有効に使っている。
⑥クラス会に参加するにしろしないにしろ、返事は早く出した方がいい。

⑦JRにせよほかの私鉄にせよ、車内の冷暖房の省エネ化がなかなか進まない。
⑧アルバイトにせよボランティア活動にせよ、学校外での活動は、きびしいけれどもいろいろな人に出会えておもしろい。

∞ Vる／N ＋にしても・にしろ・にせよ

▶ 1)「～でも～でも」と例をいくつか挙げて「その全部にあてはまる」と言いたいときに使う。
2) ③⑥のように、対立する2つの場合を仮定して、どちらの場合でも同じことが言えると言いたいときにも使う。 3) 4「～にしろ～にしろ・～にせよ～にせよ」は「～にしても～にしても」より硬い言い方。
→ 18課8「～にしても・～にしろ・～にせよ」／ 21課3「～にしても・～にしろ・～にせよ」

3　～といった【～のような】❷

①インド料理やタイ料理といった南の国の食べ物には辛いものが多い。
②駅とかレストランとかいったところでは、全面禁煙が望ましい。
③かぼちゃ・にんじん・ピーマンといった色の濃い野菜は体にいいらしい。

∞ N ＋といった

▶ 1)「～といったN」の形で、あるものごとの同類の具体例をいくつか示したいときの言い方。1「～とか～とか」と意味・用法が大体同じ。 2)「～とか～と（か）いった」の形で使うことが多い。

4　～にしろ～にしろ・～にせよ～にせよ【～でも～でも】❷

▶ 2「～にしても～にしても」と意味・用法が同じ。
→ 18課8「～にしても・～にしろ・～にせよ」／ 21課3「～にしても・～にしろ・～にせよ」

5　～やら～やら【～や～など】❷

①週末は、そうじやらせんたくやら家の用事がたくさんあって、けっこう忙しいのです。

②机の上には紙くずやらノートやらのりやらがごちゃごちゃ置いてある。

③びっくりするやら悲しむやら、ニュースを聞いた人たちの反応はさまざまだった。

④マラソンで3位に入賞したとき、わたしはうれしいやら悔しいやら複雑な気持ちだった。

◯◯ Vる／イAい／N ＋やら

▶ 1）まだほかにもいろいろあるが、まず1つ、2つの例を挙げたいときに使う。　2）いろいろなものや気持ちがあって整理できないという気持ちで使うこともある。

6　～というか～というか【～と言ったらいいのか～と言ったらいいのか】

①「山の方に別荘をお持ちなんですって」

「ええ、まあ、別荘というか小屋というか、たまに週末を過ごしに行くだけなんですがね」

②会社の仕事は、忙しいというかきびしいというか、まだ慣れないので大変です。

③この店の従業員は親切というかよく気がつくというか、とにかくみんな感じがいい。

◯◯ ▶2）参照

▶ 1）話題になっているものごとについて、1つの言い方での断定を避けて、いろいろ言葉を変えて説明してみる言い方。　2）接続は、取り上げようとする言葉にそのまま続ける場合が多い。

7　～なり～なり【～でもいい～でもいい】

①だまっていないで、反対するなり賛成するなり意見を言ってください。

②となりの部屋の人がうるさいので、朝早く起きて勉強するなり図書館で勉強するなり、勉強の場所を考えなければならない。

③そのことなら、迷っていないで先輩になり課長になり相談してみたらいいじゃない。

④歴史関係の資料なら、地下の資料室なり相談室なりで聞いてみてください。

◯◯ Vる／N（＋助詞） ＋なり

▶ 1）「～でもいい～でもいい、何か」と考えられる例を挙げる言い方。　2）過去のことには使えない。また、「何でもいいけど」という意味合いを含むときがあるので、目上の人に対してはあまり使わない。

8　～といい～といい　【～も～も】

①デザインの構成力といい色の使い方といい、彼の作品が最優秀だと思う。

②ひたいの広いところといいあごの四角いところといい、この子は父親にそっくりだ。

③彼の書くものは、言葉の使い方の鋭さといい表現の深さといい、彼独特のものだ。

④個人情報の流出といい無記名の個人攻撃といい、ネットに絡んだ事件は影響が大きく、簡単には解決できない。

　　N　＋といい

▶ある事柄について、いくつかの例を取り上げて「どの点から見ても～だ」と話者の評価を言いたいときに使う。

9　～といわず～といわず　【～も～も区別なく】

①彼の部屋は机の上といわず下といわず、紙くずだらけです。

②手といわず足といわず、子どもは体中どろだらけで帰ってきた。

③新聞記者の山田さんは国内といわず海外といわずいつも取材で飛び回っている。

④母はわたしのことが心配らしく、昼といわず夜といわず電話してくるので、ちょっとうるさくて困る。

　　N　＋といわず

▶いくつか例を挙げて、「～も～も区別なく、どこも（いつも・どれも・みんな、など）」と強調して言いたいときに使う。

10　～であれ～であれ・～であろうと～であろうと　【～でも～でも】

①食べ物であれ日常の生活用品であれ、むだな買い物はやめたいものです。

②ファッションであれ広告であれ、デザインは基本的なコンセプトが重要だ。

③レポートを書くのであれ、研究発表をするのであれ、十分なデータが必要だ。

④学校教育であろうと家庭教育であろうと、長い目で子どもの将来を考えた方がいい。

⑤仕事であろうと遊びであろうと、彼はいつも精いっぱい楽しんでやっている。

　　N　＋であれ・であろうと

▶ 1)「～でも～でも」と例をいくつか挙げて「その全部にあてはまる」と言いたいときに使う。

2) 同様の意味を持つ2「～にしても～にしても」、4「～にしろ～にしろ・～にせよ～にせよ」よりもさらに硬い言い方。　　　　　→ 21課5「～であれ・～であろうと」

練習 15　例示

　　の中の言葉を使って、次の文を完成させなさい。1つの言葉は1回しか使いません。

```
a  にしても～にしても    b  やら～やら
c  とか～とか
```

1. パーティーでは、すし＿＿＿サンドイッチ＿＿＿食べきれないほどのごちそうが出た。
2. この町は、住む＿＿＿通勤する＿＿＿、便利でいいですね。
3. わたしはインド＿＿＿タイ＿＿＿いった暑い国が好きだ。

```
a  にしろ～にしろ       b  や～といった
c  といわず～といわず
```

4. 東京の名所といえば、上野＿＿＿浅草＿＿＿町がすぐ頭に浮かぶ。これらの町は東京の「下町」と呼ばれ、人々に親しまれている。上野には公園や美術館や動物園があり、浅草には「浅草寺」という有名なお寺がある。また、上野＿＿＿浅草＿＿＿、古くからの店がたくさん残っていて、おもしろい。特に浅草は、休日＿＿＿普段の日＿＿＿、いつも観光客でにぎわっている。

```
a  なり～なり      b  であろうと～であろうと
c  というか～というか
```

5．だれかの家に招待されたときは、後でカードを送る＿＿＿＿電話をする＿＿＿＿してお礼の気持ちを表すといい。

6．「井上さんて、おもしろい人でしょう？」
「おもしろい＿＿＿＿ちょっと変わっている＿＿＿＿、でも、なかなか魅力的な人ですね」

7．自分の子＿＿＿＿他人の子＿＿＿＿、いけないことはいけないと言える大人でありたい。

```
a  であれ～であれ     b  なり～なり
c  といい～といい
```

8．JR＿＿＿＿ほかの私鉄＿＿＿＿、故障や事故が多いのは困る。

9．駅で何か事件があったらしく、駅の中＿＿＿＿周辺＿＿＿＿、人や救急車などでいっぱいだった。

10．連休には、海＿＿＿＿山＿＿＿＿、どこか空気のきれいな所へ行きたい。

16 程度の強調

Emphatic Expressions
对程度的强调
강조

意味を強くしたいときは、どんな言い方がありますか。

知っていますか

a こそ　b くらい　c さえ　d など　e として

1. 早く仕事が決まらないと、家賃_____払えなくなる。
2. 間違いを認める勇気_____が大切だ。
3. 彼の意見に賛成する人は、1人_____いなかった。
4. 「納豆_____食べたくない」という人は日本人にもいる。
5. その人がどんな人か、ちょっとつきあった_____ではわからない。

使えますか

1. 課長は { a 小さいミスこそ許さない / b 小さいミスさえ許さない } 厳しい人だ。

2. 目玉焼きぐらいわたしにも { a 作れます。 / b 作れません。 }

3. あの人の言うことなんか { a 信じられない。 / b 信じられる。 }

4. 子どもじゃないんだから { a ジュースさえ飲みたい。 / b ジュースなんか飲みたくない。 }

5. わたしの意見は会議で何1つとして { a 取り上げられた。 / b 取り上げられなかった。 }

答えは次のページにあります。

強調 I　意味を強くしたいとき

```
  3                    2                     1
1  ～こそ         :  4  ～てこそ         :  6  ～すら・～ですら
2  ～さえ・～でさえ :  5  ～てまで・～までして :  7  ～というもの（は）
3  ～まで          :                      :  8  ～あっての
                  :                      :  9  ～にして
                  :                      : 10  ～極まる・～極まりない
```

I・1　～こそ

①この本こそ、わたしが探していた本です。とうとう見つけました。

②「妹がいつもお世話になっております」

　「いえ、こちらこそ」

③困ったときにこそ明るい気持ちを持つことが大切なのだ。

　　N（＋助詞）＋こそ

▶ 1) 大切なことを「ほかのことでなく、これなのだ」と区別して強調したいときに使う。　2) マイナスの意味を強調する使い方はしない。

　　× 丸暗記こそやりたくない。

I・2　～さえ・～でさえ【～も】

①足が痛くて、立っていることさえできない。

②ここは寂しい町だ。朝夕でさえ、人が通らない。

③えり子は大学をやめることを親友のはな子にさえ知らせなかった。

④猿でさえ親が子どもに歯磨きのやり方を教えるそうだ。

　　N（＋助詞）＋さえ・でさえ

▶ 極端なものごとを取り出して「ほかのことはもちろん」という意味に使う。②のように名詞を副詞

1. c　2. a　3. e　4. d　5. b　　　　1. b　2. a　3. a　4. b　5. b

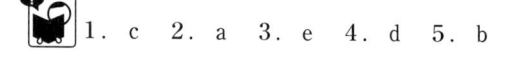

16　程度の強調

的に使う場合と、④のように主格につく場合には「でさえ」となることが多い。

Ⅰ・3　～まで【～も／～そんなものも】 3

①お父さんまでわたしを疑うの。
②漢字の勉強をがんばったので、アメリカ人のぼくが1年で新聞まで読めるようになった。
③家族との生活まで犠牲にして、会社のために仕事をするつもりはない。
④今度の事件では、妻の両親にまで迷惑をかけてしまった。

◯◯　N（+助詞）+まで

▶「～まで…」の形で、極端なことを取り上げて「より低い程度のものも…だが、こんな高い程度の～も…」と言いたいときの言い方。話す人の驚きの気持ちが入った文が多い。

Ⅰ・4　～てこそ 2

①スポーツはそのスポーツをやってみてこそ、おもしろさがわかる。
②野の花は自然の中にあってこそ、美しい。
③けんかをしてこそ、ほんとうの友だ。

◯◯　Vて　+こそ

▶「～してはじめて、…といういい結果になる。何かがわかる」と言いたいときに使う。「～するまでは、わからない」という意味になる。硬い言い方。

Ⅰ・5　～てまで・～までして【～もして／そんなこともして】 2

①幼い子どもたちと離れてまで、留学したいとは思わない。
②話題の本だから読みたいが、高い本だから、買ってまで読みたいとは思わない。
③映画の仕事は彼が家出してまで、やりたかったことなのだ。
④いつの世にも、法律違反までして、お金をもうける人がいる。
⑤車がほしいが、借金までして買いたいとは思わない。

◯◯　Vて　+まで

　　　N　+までして

▶ 1）極端なものごとを挙げて「こんな程度のこともして」と強調する言い方。「極端な手段を使って」

という話者の気持ちのこもった言い方。　2）話者の主張・判断・評価を言うことが多い。

Ⅰ・6　～すら・～ですら【～も／～でも】 ①

①佐藤先生は若いころ食費すら倹約して、研究を続けられたそうだ。
②彼らは研究のために、電気すらない山の中で3か月間暮らした。
③子どもですらわかるようなことが、なぜ大人である彼にわからないのだろうか。
④このところ忙しくて、週末ですら休めない。

　　N（＋助詞）　＋すら・ですら

▶ 1）極端な例を取り上げて「ほかはもちろん」と言いたいときに使う。Ⅰ・2「～さえ」と同じように使うが「～さえ」より文語的な表現。　2）③のように主格につく場合と、④のように名詞を副詞的に使う場合には「～ですら」となることが多い。

Ⅰ・7　～というもの（は）【～という長い間ずっと】 ①

①夏休みになってからというもの、パソコンゲームばかりしている。
②子どもが行方不明になってからの10年というもの、子どものことを思わない日はない。
③敵につかまってからの1か月というものは、生きた心地がしなかった。
④結婚してからというものは、彼女は生まれかわったように明るくなって、幸せに暮らしている。

　　期間を表す言葉／Ｖてから　＋というもの（は）

▶ 期間を表す言葉や「Ｖてから」について、同じ状態がずっと続いていることを感情をこめて言う。後には継続を表す文が来る。「～というもの」に「は」がつくと、より詠嘆的になる。

Ⅰ・8　～あっての【～があるから成り立つ】 ①

①読者あっての新聞なのだから、高齢者が増えた現代では活字を大きくするなどの配慮が欠かせない。
②山下さんがアメリカへ行くと聞いたが、山下さんあってのわたしたちのクラスだ。彼がいなくなると寂しくなる。

③資料室あっての研究所だ。資料室を充実させなければ、研究所を新しく作る意味はない。

🔗 N ＋あっての

▶「～あっての…」の形で、「～があるから…もできる、…が成り立つ」「～がなければ…は成り立たない」ということを強調する言い方。

Ⅰ・9 ～にして 【～だから／～でも】 ❶

①この子の絵は独創的ですばらしい。専門家にしておもしろいと言わせたほどだ。
②人のこのような孤独感はあの作家にしてはじめて書けるものである。
③この作品は一流のバレリーナの彼女にして難しいと言わせるほど難しいものらしい。

🔗 N ＋にして

▶「～にして…」の形で、「～まで程度が高くなって…」または「～ほど程度が進んだＮだから可能・不可能」ということを言いたいときに使う。

Ⅰ・10 ～極まる・～極まりない 【この上なく～だ】 ❶

①あの人のわがまま極まる態度にはがまんができない。
②電車の優先席で大声で携帯電話で話すとは、全く不作法極まりない。
③自分から頼んでおいて約束の時間に遅れるとは、失礼極まりない。
④息子にけがをさせた子のご両親から丁重極まるわび状が届いた。

🔗 ナA ＋極まる

▶ 1）「～極まる・～極まりない」はどちらも「この上なく～だ・非常に～だ」という意味。
　2）話者が感情的な言い方をするときに使われることが多い。古い言い方。

強調Ⅱ　意味を強くしたいとき

```
3                           2                    1
1  ～など・～なんか・          3  ～として～ない        4  ～たりとも～ない
   ～なんて                                         5  ～までだ・
2  ～くらい                                             ～までのことだ
```

Ⅱ・1　～など・～なんか・～なんて【～のようなものは】

①エレベーターの中で人の悪口など言うものではない。

②ピーマンなど好きじゃないという人は多い。

③こんな問題なんか簡単だよ。だれでもできるよ。

④わたしなんか何も上手にできません。

⑤ケンになんてもう会いたくない。

　　N（＋助詞）＋など

▶ 1)「～」を強く否定する気持ちや大したものではないと考える気持ちを表す。文の終わりでは否定的な言い方をすることが多い。　2)「～なんか・～なんて」はくだけた会話的な言い方。

Ⅱ・2　～くらい【～のような軽いことや簡単なこと】

①医者「思ったより回復が早いから、歩くくらいの軽い運動から始めてください」

②この本はむずかしくて、1回ぐらい読んでもわからない。

③君ももう20歳になって大人なんだから、あいさつぐらいちゃんとしなさい。

④宿題ぐらい自分でしなさい。もう手伝ってあげないよ。

　　N／V・Aの普通形（ナAな）＋くらい

▶ ①②では「～」という軽いこと、③④では「～」という最低限のことを表す。名詞につく場合は「ぐらい」、活用語につく場合は「くらい」を使うことが多い。

→ 10課Ⅰ・2「～くらい・～くらいの・～くらいだ」

Ⅱ・3　～として～ない 【～も～ない】 ❷

①火事で焼けてしまったので、祖父母の写真は1枚として残っていない。

②ぼくは1日として君のことを考えない日はない。

③電車の中でお年寄りが立っていたが、だれ1人として席を譲ろうとしなかった。

🔗　1＋助数詞　＋として～ない

▶ 1)「1＋助数詞」という形で最低の単位のものを挙げて全否定を強く言う言い方。　2)③のように疑問詞を前につけて「疑問詞＋1＋助数詞＋として～ない」の形で使うことが多い。

Ⅱ・4　～たりとも～ない 【～も～ない】 ❶

①亡くなった田中君の思い出を書くように頼まれたが、思い出すのがつらくて1行たりとも書く気になれない。

②橋の完成予定日までの日数を考えると、工事を1日たりとも遅らせることはできない。

③予算が限られているので、会議に使う経費を1円たりとも無駄にしないように気をつけなければならない。

🔗　1＋助数詞　＋たりとも～ない

▶「1＋助数詞」という最低の単位のものを挙げて、「最低・最小のものも～ない」という話者の強い否定の気持ちを表す。

Ⅱ・5　～までだ・～までのことだ 【～しただけなのだ】 ❶

①「もしもし、あ、先輩。こんばんは。何かあったんですか。こんな遅い時間に」
　「いえ、今日会ったとき元気がなかったから、気になって電話したまでなんだけど」

②「そんなにたくさんおせんべいを買ってどうするの」
　「ああ、故郷のものなので、懐かしくてつい買っちゃったまでのことなんです」

③「あなたがいないと寂しくなる」と言ったわたしの言葉に特別な意味はありません。ただ、彼をなぐさめようと思って言ったまでです。

🔗　Vた　＋までだ

▶「ただそれだけの事情や理由で、特別な意図はない」と言い訳をしたいときの言い方。

→ 29課8「～までだ・～までのことだ」

練習 16 程度の強調

A ☐の中の言葉を使って、次の文を完成させなさい。1つの言葉は1回しか使いません。

```
a こそ    b さえ    c まで    d など
e くらい
```

1. 外国語の勉強は、毎日の積みかさね＿＿＿＿＿が大切だと思う。
2. 1度や2度先生にしかられた＿＿＿＿＿で、がっかりしてはだめですよ。しっかりして。
3. これについてはもう話し合う必要＿＿＿＿＿ない。もう決まったことだ。
4. 物語だけでなく、経済や歴史＿＿＿＿＿漫画になっている。
5. （音声付き電子辞書の広告）「外国旅行も、これ＿＿＿＿＿あれば大丈夫！」

```
a にさえ    b まで    c こそ    d なんて
e として
```

6. この1か月は忙しくて、1日＿＿＿＿＿ゆっくり休めなかった。
7. 課長のイエスマンになって＿＿＿＿＿課長に気に入られようとは思わない。
8. 新聞の地方版＿＿＿＿＿出ないような小さい事故が毎日たくさん起こっている。
9. その国のことは言葉がわかるようになって＿＿＿＿＿本当に理解できるんじゃないか。
10. いつもいい加減なことばかり言っているあの人のこと＿＿＿＿＿信じません。

16 程度の強調

```
a すら     b にして    c というもの
d あっての    e までだ
```

11. サービス業というものはお客様＿＿＿＿仕事だから、そのことを忘れないように。

12. 東京の学校に行っている息子から、「電気代を払うお金＿＿＿＿なくなった」と言ってきた。困ったものだ。

13. 単身赴任の夫から、この3週間＿＿＿＿連絡がない。どうしたのだろうか。

14. 伝統工芸というのは、経験30年という職人＿＿＿＿はじめて可能な仕事なのだろう。

15. 「そのことなら、もう聞いているよ」
    「万一、忘れているといけないからと思って、確認した＿＿＿＿よ」

B ＿＿＿＿の中の言葉を使って、次の文を完成させなさい。1つの言葉は1回しか使いません。

```
a というもの    b まで    c 極まる
d として       e あっての
```

山田「やあ、木村さん、久しぶり。元気？」

木村「うーん、課を移ってから1＿＿＿＿、忙しくてね。1日2＿＿＿＿外出しない日はないくらい」

山田「そりゃ、期待されて行ったんだからね。今や木村さん3＿＿＿＿課なんだろう？」

木村「大げさねえ。でも、このごろ夜よく眠れないことがあるのよ」

山田「それはよくないよ。体を壊して4＿＿＿＿会社のために働くっていうのは問題だよ。くれぐれも気をつけなさいよ」

木村「それは、ご親切5＿＿＿＿お言葉、感激するわ」

131

17 話題

Topics
话题
화제

あることを話題にするときは、どんな言い方がありますか。

知っていますか

a　というのは　　b　にかけては　　c　というと　　d　というものは

e　といったら

1. 小学校＿＿＿、大勢の子どもたちや広い校庭が頭に浮かびます。
2. 友だち＿＿＿ありがたいものだ。
3. 正三角形＿＿＿、3辺が同じ長さの三角形のことである。
4. 決勝戦で負けたときの悔しさ＿＿＿、言葉では表せない。
5. 彼は走ること＿＿＿だれにも負けないだろう。

使えますか

1. 「うりふたつ」というのは、2つのものが { a　よく似ていることです。 / b　よく似ています。 }
2. わたしは水泳にかけては、 { a　自信があります。 / b　あまり上手ではないのです。 }
3. 校則というと、 { a　わたしはあまり好きではありません。 / b　まず、とてもきびしいものを想像します。 }
4. { a　外国で1人で暮らすというものは、 / b　外国で1人で暮らすということは、 } 大変ですね。
5. この夏の暑さといったら、 { a　ほんとうにひどかった。 / b　それほどでもなかった。 }

答えは次のページにあります。

17 話題

話題　あることを話題にするとき

3	2	1
1　～というのは	3　～とは	10　～ときたら
2　～にかけては	4　～というものは・～ということは	
	5　～といえば	
	6　～というと	
	7　～はというと	
	8　～といったら	
	9　～のこととなると	

1　～というのは 【～は】 3

①「いたしかたがない」というのはどういう意味ですか。

②パソコンで「上書き保存」というのは、文書を訂正して保存するという意味です。

③「多年草」っていうのは、冬になっても根だけは生きていて、春にまた芽を出す植物のことだよ。

④ねえ、「オゾン」って何？

⑤赤字とは収入より支出が多いことです。

⑥水蒸気とは気体の状態に変わった水のことである。

⑦温室効果ガスとは、CO_2・メタン・フロンなど、地球の温度を上昇させるガスのことである。

　　N ＋というのは・とは

▶1）ある語句の意味や定義を言うときに使う。「～というのは・ことだ・ものだ・という意味だ」という形をとることが多い。「～とは」の方が書き言葉的である。　2）くだけた会話では「～っていうのは・～って」という形になる。

---

1. c　2. d　3. a　4. e　5. b　　　1. a　2. a　3. b　4. b　5. a

133

2 ～にかけては 【～では】

①田中さんは事務の仕事にかけてはすばらしい能力をもっています。
②父は釣りが得意だ。川釣りにかけてはこの村で父より上手な人はいないと思う。
③わたしは足の速さにかけては自信があったのですが、若い人にはもう勝てません。

∞ N ＋にかけては

▶「～の素質や能力に関しては自信がある、ほかよりすぐれている」と言いたいときに使う。

3 ～とは 【～は】

▶ 1 「～というのは」と意味・用法が大体同じ。　　　　　　→ 30課12「～とは」

4 ～というものは・～ということは 【～は】

①音楽というものはすばらしいものだなあ。
②個人競技の試合に出る前の緊張感というものは、経験しないとわからないだろう。
③ふるさとというものは遠く離れるといっそう懐かしくなる。
④体が丈夫だということはありがたいことだと思っています。
⑤長い間の習慣を変えるってことは大変だ。
⑥自由時間が十分にあるということは、いろいろなことをやれるチャンスがあるということだ。
⑦田中さん、「明日からもう来ない」ってことは、つまり、この会社を辞めるということですか。

∞ N ＋というものは　　普通形 ＋ということは

▶ 1）本質や普遍的な性質を感情を込めて述べるために、あることを話題として取り上げるときに使う。後の文には話者の感想・感慨などを表す文が来ることが多い。　2）名詞を受ける場合には①～③のように「～というものは」、文を受ける場合には④～⑦のように「～ということは」の形になる。くだけた会話では⑤⑦のように「～ってことは」になる。　3）「～ということは」には⑥⑦のように、「～ということ」から考えられる推測やその結論・確認などを言いたいときに使う用法もある。

5 〜といえば【〜を話題にすれば】

①今年もまた紅葉の季節になった。紅葉といえば、5年前に行ったカナダの紅葉の美しさが忘れられない。

②今年こそいっしょにスキーに行きましょうね。スキーといえば、今度の冬季オリンピック、楽しみですね。

③「きのうの台風はすごかったねえ。記録的な大雨だったようだよ」
「記録的っていえば、今年の暑さも相当でしたね」

○○ ▶ 2) 参照

▶ 1) その場のだれかが話題にしたこと、または自分の心に思い浮かんだことから、新しい話題を取り上げるときの言い方。くだけた会話では③のように「っていえば」になる。 2) 接続は、取り上げようとする言葉にそのまま続ける場合が多い。

6 〜というと　A【〜という言葉を使うと】

①古都というとまず頭に浮かぶのは京都や鎌倉ですよね。

②これは子どものための童話です。童話っていうとどんな種類の本を想像しますか。

③わたしは草花研究会で野草の研究をしています。研究しているというと難しいことをやっているようなイメージを持つでしょうが、野山を歩いて植物を観察しているんです。

○○　N／普通形　＋というと

▶ あることを話題にしたとき、すぐ浮かぶイメージを言う言い方。くだけた会話では②のように「〜っていうと」になる。

〜というと　B【あなたが今言った〜は】

①「じゃ、今度の会はアマゾンでやることにしようよ」
「アマゾンというと、駅前のコーヒーショップのことですか」

②「リーさんは荷物を整理して、もう国へ帰りましたよ」
「帰ったっていうと、もう日本には戻らないということでしょうか」

③「ヤンさんの家族は今3人ですよ」

「というと、赤ちゃんが生まれたのですね」

◎◎ ▶ 2) 参照

▶ 1) 相手の言った言葉を受けて、それが自分の思っている内容と同じかどうか確かめるときに使う。③のように「~というと」の「~」を省略して接続詞的に使う場合もある。 2) 接続は、取り上げようとする言葉にそのまま続ける場合が多い。

7 ～はというと【一方～はどうかというと】

①わたしは文科系の科目は好きだし得意なのですが、理科系の科目はというと、全くだめなんです。

②まわりの友だちはみんな結婚して子育てに忙しそうです。わたしはというと、仕事がおもしろくて結婚のことを考える暇がありません。

③ここ10年間で保育所の数は大幅に増えたようだ。しかし、わたしの地域はというと、まったく増えていない。

◎◎ N（＋助詞）＋はというと

▶ あることを対比的に取り上げるときの言い方。前の文と対立的なことを言いたいときに使う。

8 ～といったら【～は】

①この施設のスタッフたちの懸命な働きぶりといったら、本当に頭が下がる。

②彼はこの犬をとてもかわいがっている。そのかわいがり方といったら、あきれるほどだ。

③山の中の一軒家にたった1人で泊まったんです。あのときの怖さといったら、今思い出してもゾッとします。

◎◎ N ＋といったら

▶ 驚いたり、あきれたり、感動したりなどの感情をもって、程度を話題にするときに使う。

9 ～のこととなると【～の話題になると】

①川上君は仕事にはあまり熱心ではないが、車のこととなると目が輝く。

②自分の子どものこととなると、自己中心的になってしまう母親が多い。

③いつもは厳しい山田会長だが、孫のこととなると人が変わったようにやさしい表情になる。

◎◎　N ＋のこととなると

▶「～の話題・～の問題については普通とは違う態度を表す」と言いたいときに使う。

10　～ときたら【～は】

①うちの子ときたら、朝から晩までいたずらばかりしているんですよ。

②周りの家はみんなきれいなのに、わが家ときたら草がいっぱい生えている。

③田中君ときたら、毎日インスタントラーメンを食べているんだよ。体によくないよね。

◎◎　N ＋ときたら

▶非難・不満の気持ちをもって身近なものを話題にするときに使う。

練習 17　話題

A 　　　の中の言葉を使って、次の文を完成させなさい。1つの言葉はⅠ、Ⅱそれぞれで、1回ずつしか使いません。

```
a　にかけては    b　というものは    c　というと
d　といったら    e　はというと      f　のこととなると
```

Ⅰ　時間1＿＿＿＿早くたってしまうものだ。今はもう秋。あたたかいお風呂がうれしい季節だ。お風呂といえば、去年行った温泉を思い出す。温泉2＿＿＿＿大きなお風呂を思い浮かべるが、そこは小さなお風呂が2つあるだけだった。しかし、そのお風呂に入ったときの気持ちのよさ3＿＿＿＿今でも忘れられない。宿の主人は「料理4＿＿＿＿この辺でここが一番だ」と自慢していた。彼は料理5＿＿＿＿、話が止まらない。ほかの客たちはのんびり楽しんでいたが、わたし6＿＿＿＿、一日中机に向かって原稿を書いていた。

Ⅱ　弟や妹たちは今、夏休みだ。サラリーマンのわたし1＿＿＿＿、毎日会社勤めだ。会社2＿＿＿＿、立派な建物を想像する人も多いが、わたしの会社はマンションの1室である。マンションといえば、林さんが今のマンションを売りたいと言っていた。林さんは腕のいいエンジニアなのだが、土地の売り買い3＿＿＿＿、まったく無知なのだ。わたしはそういうこと4＿＿＿＿腕のいい営業マンだから、林さんの力になってあげられると思う。営業マン5＿＿＿＿、このように常に売り買いを考えているのだ。土曜も日曜もない。それでもわたしはこの仕事が好きだ。契約が成立したときのうれしさ6＿＿＿＿何とも言えない。

B　□の中の言葉を使って、次の下線の部分を言い換え、記号で答えなさい。1つの言葉は1回しか使いません。❸❷❶

a	にかけては	b	というものは	c	とは
d	といえば	e	といったら	f	のこととなると
g	はというと	h	ときたら		

1．インフラは（　　　）インフラストラクチャーの略で、産業や生活関連の社会的資本のことである。

2．ぼくはおいしいカレーを作ることは（　　　）自信がある。

3．となりのおばさんは（　　　）毎日大きい声でカラオケの練習をして、とてもうるさい。

4．あの人のイラストのうまさは（　　　）、プロみたいだ。

5．山口さんはワインのことは（　　　）、学者のように熱心に語り出す。

6．命は（　　　）不思議なものですね。

7．わたしは旅行が好きで国内はあちこちよく行くのですが、外国は（　　　）、まだ1度も行ったことがないんです。

8．和食定食は（　　　）、やはりさしみとてんぷらですかね。これがなければ和食ではないみたいなあ。

18 逆接・譲歩

Contradiction / Concession
逆接，让步
역접 / 양보

前の文の事柄から考えて当然とはいえないことを言いたいときは、どんな言い方がありますか。

知っていますか

a といっても b からといって c くせに d ながら e ものの

1. 入院＿＿＿、検査のために１日入院するだけです。
2. この辺は都心の近くにあり＿＿＿、緑も多く、静かな住宅地です。
3. 太郎は自分では歌えない＿＿＿、ほかの人の歌を「下手だ、下手だ」と言う。
4. 昼間は晴れる＿＿＿、北風が強く気温は上がらないでしょう。（天気予報）
5. 日本人だ＿＿＿、日本のことをよく知っているとは限らない。

使えますか

1. { a 経験があるといっても、 / b 経験がないといっても、} まだこの仕事を始めて３年です。
2. 彼は通勤に15分しかかからない所に住んでいるくせに、{ a 遅刻はしない。 / b 遅刻が多い。}
3. { a 雨にもかかわらず、 / b 宣伝をしたにもかかわらず、} 大勢の人が集まった。
4. 新入社員であるにしても { a 彼は仕事が遅すぎる。 / b 彼は仕事が速い。}
5. { a 先生が見るなと言いつつ、 / b 自分でも悪いと知りつつ、} 試験のときに友だちの答えを見てしまった。

答えは次のページにあります。

逆接・譲歩　前の文の事柄から考えて当然とはいえないことを言いたいとき

3
1　～といっても

2
2　～ながら
3　～つつ・～つつも
4　～くせに・～くせして
5　～ものの・～とはいうものの
6　～にもかかわらず
7　～からといって
8　～にしても・～にしろ・～にせよ

1
9　～ながらも
10　～ものを
11　～ところを
12　～とはいえ
13　～といえども
14　～と思いきや

1　～といっても【～というけれども、実は】

①わたしの住んでいるマンションのとなりに公園があります。公園といっても普通のうちの庭のように小さなものです。

②授業料は高いといってもわたしに払えないほど高くはなかった。

③家では家族みんながよく集まっていっしょに過ごします。いっしょにといっても、テレビを見るだけなんですが。

④わたしはフランス語がわかるといっても料理の言葉だけなんです。

N／普通形　＋といっても

▶「～といっても、…」の形で「～から想像するものとちがって、実は…だ」と説明するときの言い方。

2　～ながら【～のに／～だが】

①田中さん一家はお金がありながら、とても地味に暮らしている。

②わたしは40歳のときに、小さいながら自分の家を持つことができた。

③残念ながら日本の代表チームは負けてしまった。

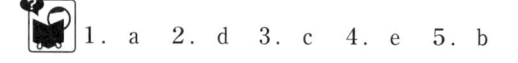

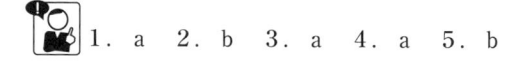

1. a　2. d　3. c　4. e　5. b　　1. a　2. b　3. a　4. a　5. b

④太郎は子どもながらもしっかりした考えを持っている。

⑤1歳のケンはゆっくりながらも、自分で歩けるようになった。

⑥彼らは貧しいながらも、互いに助け合って心豊かな生活をしていた。

🔗 V<del>ます</del>／イAい／ナA・ナAであり／N・Nであり ＋ながら・ながらも

▶ 1）「～ながら…」の形で、「～から想像されることとは違って、実際は…」と言いたいときに使う。「～」には状態性動詞・「Vている」・形容詞・名詞などが来る。⑤のように副詞につくこともある。

2）「～ながらも」は「～ながら」より硬い表現。 →23課Ⅱ・5「～ながら（に）・～ながらの」

3　～つつ・～つつも【～ているが】

①マリはダイエット中だと言いつつ、甘いものを見ると買ってくる。

②早くお金を払い込まなければと思いつつ、遅くなってしまいました。

③悪いと知りつつも、拾った5,000円を警察に届けずに使ってしまった。

④春子が元気がないことが気になりつつも、忙しかったので、何も聞かずに帰ってきてしまった。

🔗 V<del>ます</del> ＋つつ

▶ 1）「Vつつ・Vつつも」の形で、「Vているけれども」という逆接の意味を表す。話者が後悔したり告白したりする場合に使われることが多い。　2）慣用表現が多い。例文の例のほかに「感じつつ・理解しつつ」などがよく使われる。　　　　　　　　　　　　　　　　→7課2「～つつ」

4　～くせに・～くせして【～のに】

①彼は本当のことを知っているくせに、わたしに教えてくれない。

②今度この会に入った人は、新人のくせに先輩にあいさつもしない。

③あの人はお金もないくせに、ブランドものを買う話ばかりする。

④ほかの人のことをバカにするもんじゃないよ。自分は何もできないくせして。

🔗 普通形（ナAな・ナAである／Nの・Nである） ＋くせに

▶ 1）人の悪い点を非難したり軽蔑したりする気持ち、意外な気持ちや不満を表すときに使う。「～くせに」の前後の文は主語が同じ。　2）④の「～くせして」にはくだけた会話の感じがある。

5 〜ものの・〜とはいうものの 【〜だが、しかし】

①祖父は元気ではあるものの、居眠りをしている時間が多くなってきた。
②えりに毛皮のついたコートを買ったものの、暖冬なので着ていく機会がほとんどない。
③彼は「やります」とは言ったものの、実際にはできないのではないか。
④暦の上では春とはいうものの、まだまだ寒い日が続く。
⑤20歳をこえているとはいうものの、彼女は考え方もすることもまだ幼い。

普通形（ナАな・ナАである／Nである） ＋ものの

N／普通形　＋とはいうものの

▶「〜の事柄は一応認めるが、実際はそのことから想像される通りにはいかない」という意味に使う。

6 〜にもかかわらず 【〜のに】

①家族が反対したにもかかわらず、彼は家族をおいてフランスへ料理の修業に行ってしまった。
②本日は悪天候にもかかわらず、このように大勢の方々がお集まりくださいましてありがとうございます。
③忙しい日程であるにもかかわらず、大臣は人々との直接対話を強く望んだ。

N／普通形（ナАである／Nである）　＋にもかかわらず

▶「〜にもかかわらず、…」の形で「〜の事態から予想されることとは違った…という結果になる」と言いたいときの表現。話者の驚き・意外・不満・非難などの気持ちを表す文が多い。

7 〜からといって 【〜ということから当然考えられることとは違って】

①大学を出たからといって、教養があるとは限らない。
②田中さんがフランスに3年いたからといって、フランスのことに詳しいわけではない。
③おいしいからといって、きりがなく食べたらおなかをこわしますよ。
④好きだからって、肉ばかり食べちゃだめだよ。野菜も食べなきゃ。
⑤「先生に聞いてみたら」
　「先生だからって、わかるとは限らないよ」

18　逆接・譲歩

🔗　普通形　＋からといって

▶ 1)「～という理由から考えられることとは違って」という意味を表す。話者の判断・批判を言うときによく使う。　2）文末には「～とは限らない・～わけではない・～というわけではない」などの部分否定の言い方が来ることが多い。　3）くだけた会話では④⑤のように「～からって」を使う。

8　～にしても・～にしろ・～にせよ【～のはわかるが、しかし】

①いくら忙しかったにしても、携帯にメールをするくらいできただろう。どうして彼は外国へ行くことをわたしに知らせてくれなかったのだろうか。

②電車の事故があったにしろ、約束の時間に遅れたのだから、ひとこと謝った方がいい。

③今度の爆発事件とは関係なかったにしろ、あの人たちが危ないことをしているのは確かだ。

④田中さんほどでないにせよ、山本さんだってよく遅れてくる。

⑤いくら無料にしたって、あんなつまらないものを見せるとはひどい。見るだけ時間の無駄だ。

🔗　Ｎ／普通形（ナＡである／Ｎである）　＋にしても

▶ 1)「～にしても…」の形で「～はわかるが、しかし…」と言う譲歩の言い方。「…」には話者の意見・不審や納得できない気持ち・非難・判断・評価の言葉が来ることが多い。　2）①のように「いくら・どんなに」などの疑問詞とともに使われることもある。　3）「～にしろ・～にせよ」は「～にしても」より硬い表現。　4）くだけた話し言葉では⑤のように「～にしたって」となる。

→ 15課2「～にしても～にしても」／15課4「～にしろ～にしろ・～にせよ～にせよ」／
21課3「～にしても・～にしろ・～にせよ」

9　～ながらも【～のに／～だが】

▶ 2「～ながら」と意味・用法が大体同じ。

10　～ものを【～のに】

①電車に乗れば早く着いたものを、タクシーに乗ったから渋滞に巻き込まれ、かえって

遅くなってしまった。

②寒い日にジョギングなんかしなければいいものを、無理をするからかぜをひいたんです。

③夏休みのはじめに宿題をやっておけばよかったものを。今になって後悔しても遅い。

④今ならいい薬もある。兄もあと10年生きていれば、命を落とすこともなかったものを。

- 普通形（ナＡな）＋ものを　（Ｎにつく形はない）

▶ 1）期待とは違ってしまった現実を悔やんだり、不満に思ったりしたときに使う。　2）不審・不満・恨み・非難・後悔などの気持ちを込めて言うことが多い。　3）③④のように、後の文が省略される場合もある。

11　〜ところを【〜のに／〜だったのに】

①お忙しいところをわざわざお出かけくださり、ありがとうございました。

②知らん顔をしていてもいいところを、田中さんは「わたしがやりました」と自分から正直に言った。

③お休みのところを、おじゃまいたしました。

- 普通形（ナＡな／Ｎの）＋ところを

▶「〜という状況なのに…した」と言いたいとき、相手の状況を配慮して言うときによく使う表現。①③のように慣用的な表現が多い。ほかに「ご多忙のところを・お楽しみのところを」などの例がある。

12　〜とはいえ【〜けれども／〜といっても】

①景気が悪いとはいえ、歳末だからか人の集まるところはきれいに飾られている。

②親しい友とはいえ、ある程度の礼儀と遠慮が必要だ。

③教授のおっしゃることとはいえ、わたしには本当のこととは思えない。

④秋になったとはいえ、日中はまだ暑い。

- Ｎ／普通形　＋とはいえ

▶「〜」から受ける印象や特徴の一部を否定して実際のことを説明する表現。ふつう、後の文には話者の意見・判断などが来ることが多い。

13 ～といえども【～であっても／といっても】

①面会謝絶であるから、親友といえども会うことはできない。
②副主任といえども、監督者なら事故の責任は逃れられない。
③大臣といえども、法を犯した場合は裁きを受けなければならない。

N／普通形　＋といえども

▶ 極端な立場の人やものや場合を取り上げ、「～であっても・～といっても」と言って、「～」から受ける特徴や印象に反することを述べるときの表現。硬い言葉。

14 ～と思いきや【～かと思ったが、そうではなく】

①実力から言って、日本チームは負けると思いきや、なんと勝ってしまった。
②成績から見て、弟はA大学には合格できると思いきや、落ちてしまった。
③彼は医者の息子だから医者になると思いきや、漫画家になった。

▶ 2）参照

▶ 1)「普通に予想すると～だが、この場合は～ではなかった」と意外な気持ちを表す。　2) 引用の「と」で受けるので、前にはさまざまな形が来る。　3) やや古い感じの表現だが、軽妙に言い表す場合に使われることが多く、公式の文や論文などの硬い文章には使われない。

練習 18 逆接・譲歩

A ☐の中の言葉を使って、次の文を完成させなさい。1つの言葉は1回しか使いません。

```
a といっても    b くせに    c からといって
d ながら
```

1. 知らない＿＿＿＿、よく知っているようなことを言ってはいけない。
2. わたしの書いた文章が雑誌に出るんですよ。雑誌＿＿＿＿学校の雑誌なんですが……。
3. お年寄りだ＿＿＿＿古い歌が好きだとは限らない。新しいポップスが好きな人もいる。
4. この車は小型であり＿＿＿＿、とても強い力がある。

```
a ものの    b つつ    c にもかかわらず
d にしても
```

5. 積雪が1メートルを越える大雪＿＿＿＿彼は出かけていった。
6. いけないと知り＿＿＿＿また大酒を飲んでしまった。
7. 自分ではわかっている＿＿＿＿、人にわかるように説明するのは難しい。
8. 無料＿＿＿＿要らない物はもらいたくない。ごみが増えるのは困る。

```
a ところを    b といえども    c ながらも
d と思いきや
```

9. 人にはメモの大切さを力説し＿＿＿＿、自分ではときどき忘れてしまう。

146

18 逆接・譲歩

10. お疲れの＿＿＿＿＿わざわざ荷物を届けてくださり、ありがとうございました。
11. 今回の市民マラソン大会では、わたしはコンディションが悪かったので、完走もできないだろう＿＿＿＿＿、なんと3位に入賞してしまった。
12. 緑の少ない大都会＿＿＿＿＿、春が近いことを感じさせる場所は至るところにある。

B （　　）の中の言葉を使って、＿＿＿＿＿の部分を言い換えなさい。

❷
1. 祖母はデジタルカメラを買ったけれども、使いこなすのはむずかしいようだ。
（ものの）　　　（　　　　　　　　　　）
2. 日本人会の皆様にたいへんお世話になったのに、川田さんはあいさつもしないで帰国してしまった。（にもかかわらず）（　　　　　　　　　　　　）
3. 寒いけれども、室内にばかりいると健康によくない。外に出て運動しなさい。
（からといって）（　　　　　　　　　　　　　）
4. せっかく行ったのに、残念ですが、セールの品は完売していました。（ながら）
　　　　　　　　　　（　　　　　　　　　　）
5. わたしが失恋したのを知っているのに、姉はわたしにやさしくしてくれない。
（ながら）　　　（　　　　　　　　　　　　）
6. 「子どもなのに大人の話に首をつっこむんじゃない」と、子どものころよく言われた。
（くせに）（　　　　　　　　　　　　）

❶
7. 体調がよくないのに、人数不足のため、ぼくは試合に出場しなければならなかった。
（ながらも）（　　　　　　　　　　）
8. 田中氏は大学の教授だが、研究が主な仕事で、学生を指導することはほとんどないそうだ。（とはいえ）（　　　　　　　　　　）
9. もっと早く来ればよかったのに！　もう、おいしいものは残っていないよ。
（ものを）　　　（　　　　　　　　　　）
10. 社長であっても、会社のルールは守ってほしい。（といえども）
（　　　　　　　　　　）

C ☐の中の言葉を使って、次の文を完成させなさい。1つの言葉は1回しか使いません。

a といっても	b くせに	c からといって
d ながら	e ものの	f ものを
g と思いきや	h つつも	

　ぼくは、母が音楽家であり1＿＿＿＿、今まで特に音楽に興味がなかった。「音楽家の親がいる2＿＿＿＿何も楽器が弾けないのか」と友だちに言われて、最近、ギターでも弾けるようになりたいと思うようになった。友だちが「一口にギター3＿＿＿＿いろいろあるから、1度見に行ってみたら」と言うので、ある日、楽器店へ行ってみた。ギターはさぞかし高いだろう4＿＿＿＿、ぼくにも買えそうな安いものもあった。ぼくが安いギターばかり見ていたら、店員が「初心者だ5＿＿＿＿安い楽器でいいというわけじゃありませんよ」と言う。ぼくは「なるほど」とは思った6＿＿＿＿、やはり経済状況を考えて安めのを買った。さて、練習は……せっかく楽器を手に入れたのだから、早く上手になりたいと思い7＿＿＿＿、なかなか練習の時間がとれない。その上、母に「このギター、あまり音がよくないわね」と言われてしまった。あの店員のアドバイスを聞いていればよかった8＿＿＿＿と、ちょっと後悔している。

19 原因・理由

Causes / Reasons
原因, 理由
원인 / 이유

ものごとがそうなったわけや、そのように感じたり考えたり判断したりするわけを言うときは、どんな言い方がありますか。

知っていますか

a おかげで　b による　c 以上は　d のことだから　e につき

1. 全国の小学校で、インフルエンザ＿＿＿＿休校が増えている。
2. 先輩が親切に教えてくれた＿＿＿＿、新入社員のわたしも会社に早く慣れることができた。
3. あのまじめな林さん＿＿＿＿、約束を守らないということはないだろう。
4. みんなの前でわたしが「やる」と言った＿＿＿＿、何があっても最後までやります。
5. 録音中＿＿＿＿ノックをしないでください。

使えますか

1. これだけのお金を使ったからには、
   - a 失敗は許されない。
   - b 失敗するだろう。

2. 子どものころに重い病気をしたせいで、
   - a 今からでもがんばろう。
   - b わたしは今でも体が弱い。

3. リンさんは漫画家だけあって、
   - a 人の表情をかくのがうまい。
   - b 不規則な生活をしている。

4. 部屋の電気が消えているところを見ると、
   - a 田中さんは留守なのだった。
   - b 田中さんは留守なのだろう。

5. はじめに水を1cc加えなかったばかりに、
   - a 実験は失敗してしまった。
   - b 実験は失敗するだろう。

答えは次のページにあります。

原因・理由 I　そうなったわけやそう思うわけを言いたいとき

```
3                              2                    1
1 ～によって・～による         5 ～ものだから・
2 ～から・～ことから・～ところから    ～もので・～もの
3 ～おかげで・～おかげか・～おかげだ  6 ～ばかりに
4 ～せいで・～せいか・～せいだ      7 ～につき
```

I・1　～によって・～による【～が原因で】

①この地方は津波によって、大きな被害が出た。
②ＡＢＣ店は売り上げが落ちたことによって、ついに店を閉めることとなった。
③酒を飲んで運転をしてはいけないのだが、実際には、飲酒運転による事故が多い。

　Ｎ　+によって

▶「～によって、…」の形で「～が原因で、…の結果になった」と言うときに用いる。

→2課Ⅱ・1「～によって・～による」／13課1「～によって・～による」

I・2　～から・～ことから・～ところから【～が理由で】

①栄養の不足から、病気になる子どもがいる。
②子どもの火遊びから、火事になった。
③この辺は富士山がよく見えることから、富士見町と呼ばれるようになった。
④彼女はスペイン語ができるということから、旅行団の通訳に選ばれた。
⑤犯人たちの食べ残した食事がまだ温かいところから、犯人はまだ遠くへは行っていないと思われた。

　Ｎ　+から

　　普通形（ナＡな・ナＡである／Ｎである）　+ことから・ところから

▶ 1)「～から…」の形で「～が原因・理由で、…になる」と言うときに用いる。　2)「～ことから・

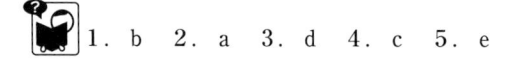

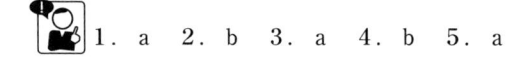

1. b　2. a　3. d　4. c　5. e　　　1. a　2. b　3. a　4. b　5. a

19 原因・理由

「～ところから」はものの名前の由来・判断の根拠を言うときに用いる。

Ⅰ・3　～おかげで・～おかげか・～おかげだ【～の助けがあったので】

①田中さんが紹介してくださったおかげで、店にいい人が来てくれることになりました。
②あなたがこの手紙を訳してくださったおかげで、この手紙の意味がわかりました。
③道路工事が終わって静かになったおかげか、昨夜はよく眠れた。
④楽しく旅行ができたのは、清水さんといういいガイドさんのおかげだ。
⑤「ご卒業おめでとうございます」
　「先生、おかげさまで。ありがとうございます」

◯◯　普通形（ナAな・ナAである／Nの・Nである）　＋おかげで

▶ 1)「～おかげで、…」の形で「～の助けがあったので、…という結果になった」と感謝の気持ちで言うときに使う。③の「おかげか」は、それだけが原因かどうかわからないが、という意味がある。

2)「～おかげだ」は④のように「～のは～おかげだ」の形でよく使う。⑤の「おかげさまで」はあいさつの言葉。

Ⅰ・4　～せいで・～せいか・～せいだ【～が原因で】

①きのうまで休みが3日続いたせいで、今日は道がとても込んでいる。
②祖父は年のせいで、もの忘れがひどくなった。
③昨夜、遅くまで飲みすぎたせいか、頭が痛い。
④兄が太りすぎているのは、運動をしないせいだと思う。

◯◯　普通形（ナAな・ナAである／Nの・Nである）　＋せいで

▶ 1)「～せいで、…」の形で「～が原因で、…という悪い結果となった」と言いたいときに使う。③「～せいか」は、それだけが原因かどうかわからないが、という感じがある。　2)「～せいだ」は④のように「～のは～せいだ」の形でよく使う。

Ⅰ・5　～ものだから・～もので・～もの【～ので】

①「昨夜の地震、気がつかなかったんですか」
　「ええ、よく寝ていたものですから」

②先週は忙しかったものだから、お返事するのが遅くなりました。
③明日の夜は友だちが泊まりに来るもので、飲み会には出られません。
④「今日の授業にいなかったね」

「うん、あの授業おもしろくないもの」

⑤「え、そんなにたくさん食べるの」

「だって、これおいしいんだもん」

- 普通形（ナＡな／Ｎな）＋ものだから

　普通形　＋もの

▶ 個人的な言いわけをするときによく使われる話し言葉で、後の文には、命令や意志のある文はほとんど来ない。

Ⅰ・6　〜ばかりに【〜だけが原因で】

①本当のことを言ったばかりに、みんなから仲間はずれにされてしまった。
②わたしが部屋の番号を間違えて書いたばかりに、大切な郵便物が相手に届かなかった。
③外国に行きたいばかりに、荷物の中に隠れて船に乗る人がいるそうだ。
④身長が162cmないばかりに、航空会社の客室乗務員になれなかった。

- 普通形（ナＡな・ナＡである／Ｎである）＋ばかりに

▶ 1)「〜だけが原因で、…というよくない結果となった」と言いたいときに使う。話者の後悔の気持ち・残念な気持ちを表すことが多い。　2) ③のように「〜たいばかりに」を使う場合は、そのためにしたくないこともやったという意味の文が来る。

Ⅰ・7　〜につき【〜のため】

①改装中につき、10月31日まで休ませていただきます。（店の張り紙）
②11月3日は祭日につき、休業します。（事務所の張り紙）
③会議中につき、103号室は4時まで使用できません。（注意書き）

- Ｎ＋につき

▶ お知らせ・掲示・張り紙などの通知や改まった手紙文の決まった言い方。

原因・理由Ⅱ　そうなったわけやそう思うわけを言いたいとき

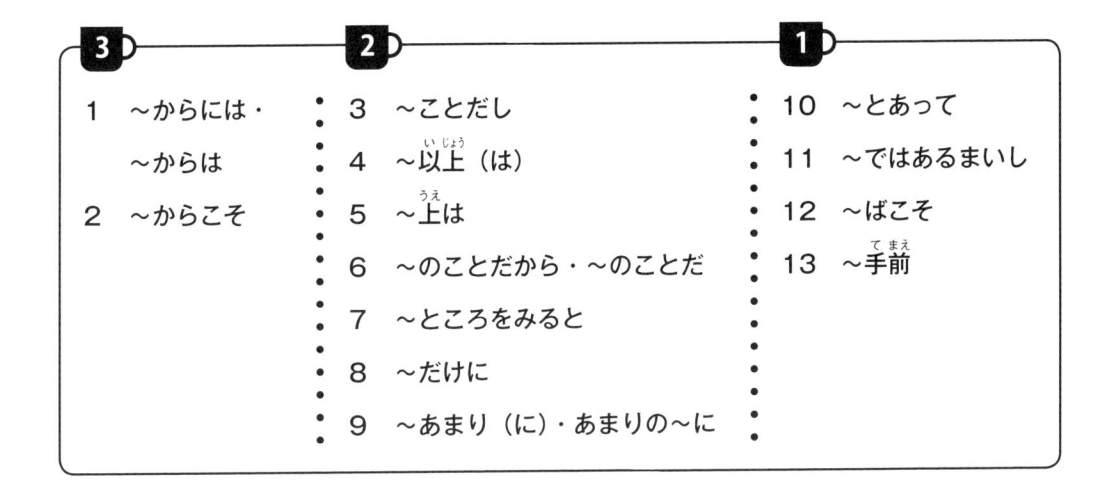

3
1　〜からには・〜からは
2　〜からこそ

2
3　〜ことだし
4　〜以上（は）
5　〜上は
6　〜のことだから・〜のことだ
7　〜ところをみると
8　〜だけに
9　〜あまり（に）・あまりの〜に

1
10　〜とあって
11　〜ではあるまいし
12　〜ばこそ
13　〜手前

Ⅱ・1　〜からには・〜からは【のなら／のだから】

①県の代表になって全国大会に出るからには、勝ってメダルを持って帰りたい。
②タイに住むからには、タイ語が少し話せた方がいいだろう。
③子どもがいじめられているのを見たからには、だまって見ていることはできない。
④こちらからお願いするからは、わたしたちもできるだけのことをいたします。

　　普通形（ナAである／Nである）＋からには

▶ 1)「〜のだから、当然…」と、話す人の理由や判断・決意などを言いたいときの表現。　2)「…」では「〜べきだ・〜つもりだ・〜はずだ・〜にちがいない・〜てはいけない」など、話す人の意志を表す言い方や相手への働きかけの言い方がよく使われる。このことはⅡ・4「〜以上（は）」、Ⅱ・5「〜上は」も同じ。

Ⅱ・2　〜からこそ【〜から】

①ジムはほかの人の2倍も勉強したからこそ、大学に合格できたのです。
②佐藤先生に診ていただいたからこそ、この病気が見つかったのです。
③教師「みなさんのことが好きだからこそ、こんな小さいことも注意するんです」
④暑い時だからこそ、熱いシャワーを浴びたい。

　　普通形　＋からこそ

▶ 1)「～からこそ、…」の形で、「～」がその理由だと強めて言いたいときに使う。①②③のように「～からこそ…のだ」の形で使うことが多い。マイナスの意味を強める使い方はほとんどしない。

2) ③④はちょっと見ると常識に反するように思えるが、そうではない、とその理由を特に言いたいときの使い方である。

Ⅱ・3 ～ことだし【から／ので】

①雪も降ってきたことだし、今日の山登りはやめにしよう。
②12月30日の新幹線の切符も買ったことだし、あとは故郷へ帰るだけだ。友人たちに会うのが楽しみだ。
③夏のことだし、パーティーは庭でやりますから気楽にカジュアルな服装で来てください。

○○ 普通形（ナAな・ナAである／Nの・Nである）＋ことだし

▶ 軽い理由を表す言い方。ほかにも理由があるという感じがある。「し」だけの言い方と似ているが、ややていねいで、少し理由を強調した言い方。

Ⅱ・4 ～以上（は）【～のだから】

①オリンピックに出場する以上、メダルを取りたい。
②この学校の生徒である以上は、学校の規則は守らなければならない。
③お金を払ってこの博物館に入場した以上、閉館の時間まで見ていたい。

○○ 普通形（ナAである／Nである）＋以上（は）

▶「～のだから、当然…」と話者の判断・決意・勧めなどを言うときの表現。「…」には、「～べきだ・～つもりだ・～はずだ・～にちがいない・～てはいけない」などの話者の判断や気持ちを表した言い方、または相手へ働きかける言い方、勧め・禁止などがよく使われる。

Ⅱ・5 ～上は【～のだから】

①大学に進学すると決めた上は、しっかり勉強しなければならない。
②マラソン大会を開く上は、十分な準備が必要だ。
③会議でやると決まった上は、この企画をやりたくなくてもやるしかない。

○○　Vる・Vた　＋上は

▶「～のだから、当然…」という言い方。「…」には、責任・判断・覚悟・決意を伴う行為を表す言葉を使う。Ⅱ・1「～からには」、Ⅱ・4「～以上（は）」などと近い表現。

Ⅱ・6　～のことだから・～のことだ【～なのだから】

①あのまじめな佐藤さんのことだから、言ったことはきちんとやりますよ。

②「よし子、遅いですね」
「買い物の好きなよし子のことだ。また、閉店まで買い物をしているんだろう」

③「ケンタから聞いたんですが、イチローがまり子と結婚するんだって」
「ケンタのことだ。また、じょうだんで言っているんだろう」

○○　Ｎ　＋のことだから

▶ 1）「～のことだから、…」の形で、互いにわかっている「～」から判断して、「…」と推量したことを言う。「～」には多くの場合人を表す名詞が来る。　2）③のように互いにわかっていること（この場合はケンタの性格）は省略されることが多い。

Ⅱ・7　～ところをみると【～から判断すると】

①兄が急に掃除を始めたところをみると、友だちが遊びに来るんだと思う。

②雨なのに朝から大勢の若い人が集まっているところをみると、あの歌手はよほど人気があるのだろう。

③発売前からインターネットによる注文が多くて話題になっているところをみると、あの本はベストセラーになるかもしれない。

○○　普通形（ナＡな・ナＡである／Ｎの・Ｎである）　＋ところをみると

▶「～という様子を見ると、…ということが推測される」と言いたいときに使う。

Ⅱ・8　～だけに　Ａ【～ので、それにふさわしく】

①伊藤さんは実力があるだけに、彼女の発言は人をひきつける。

②年末だけに、飛行機も列車も帰省客や旅行客で込んでいる。

③桜井さんは若いだけに、理解が早く、仕事も手早い。

④今日は37度以上あるそうだ。暑さが暑さだけに、ちょっと歩くと大汗をかく。

⑤デザインのいいセーターがあったが、2万円という値段が値段だけに買わなかった。

○○ N／普通形（ナАなナАである／Nである）＋だけに

▶ 1)「～だけに、…」の形で、「～」で理由となることや状況などを言い、それにふさわしい結果として発生することや推量されることを「…」で言う。評価や判断を言うことも多い。 2)④⑤のように「NがNだけに」の形で、同じ名詞をくりかえして、Nが特別だから、と言いたいときに使う言い方もある。

～だけに B 【～ので、反対に…】

①勝てると思っていただけに、負けたときのショックは大きかった。

②ケンタは家が近いだけに、かえって遅刻が多い。

③今村さんは若いだけに、地味なセーターがかえって彼女の美しさを引き立てている。

○○ 普通形（ナАなナАである／N・Nである）＋だけに

▶「～なので、普通以上にもっと…」「～なので、予想されることとは反対に」という意味。②③のように「かえって」とよくいっしょに使われる。

II・9 ～あまり（に）・あまりの～に 【非常に～ので】

①質問は簡単だったのに緊張したあまり答えられなかった。

②事故の後、その人は息子が無事だったという知らせを聞いて、喜びのあまり泣き出したということだ。

③合格発表で自分の番号を見つけたとき、うれしさのあまり飛び上がった。

④ストリートダンスを見に行ったが、あまりのにぎやかさに驚いた。

⑤彼女の夫が文学賞を受けた。彼女はあまりのうれしさにしばらく話ができなかった。

○○ Nの／V・Aの普通形（肯定形だけ）（ナАな）＋あまり（に）

あまりの ＋Nに

▶「～の程度が極端なので、普通でない状態やよくない結果になる」と言いたいときの表現。「～あまり」の「～」には感情を表す言葉が来ることが多い。

19 原因・理由

Ⅱ・10　～とあって　【～という状況なので／～ので】

① 2人が会うのは3年ぶり（だ）とあって、お互いに話したいことがたくさんある様子だった。
② 歳末の大売り出しが始まった。しかし、不景気とあって、デパートの人出はよくない。
③ 桜が満開の晴天の休日とあって、公園はどこも花見の人でにぎわっていた。
④ I選手が出場するとあって、ゴルフ場は彼を見ようという人々でいっぱいだった。

　　N／普通形　＋とあって

▶「～とあって…」の形で「～」では特別な様子や状況について述べ、「…」ではそれが理由となって起こることについて言う。話者の観察・感想などを言うことが多い。ニュースなどでもよく使われる。

Ⅱ・11　～ではあるまいし　【～ではないのだから】

① 子どもではあるまいし、あまりバカなことを言うもんじゃない。
②「おじいちゃん、デフレって何」
　「学校の先生じゃあるまいし、そんなこと、じょうずに説明できないよ」
③ 親子の縁を切ったわけじゃあるまいし、携帯で「元気だよ」とだけでも知らせてほしい。

　　N　＋ではあるまいし

▶ 1)「Nではないのだから、当然…」と言いたいときの表現。後の文には、相手に対する話者の判断・主張・話し相手への忠告などが来る。　2) 古い言葉であるが、会話的な表現である。公式の文章には使わない。

Ⅱ・12　～ばこそ　【～から】

① あなたの将来を思えばこそ、こうして注意しているんです。
② 見舞いに来てくれる人のやさしさがあればこそ、病気と闘う勇気がわいてくる。
③ わたしが今日あるのも、わたしを支えてくださった方々がいればこそだ。
④ このボランティア団体が20年以上続いているのは、地味な活動をする会員がいればこそです。

　　Ｖば／イＡければ／ナＡであれば／Ｎであれば　＋こそ

▶「〜ばこそ、…」の形で、「〜だから、…。ほかの理由ではない」と話者の気持ちを強く言う言い方。「〜」は状態の表現が多い。硬い言い方である。

II・13 〜手前【〜した自分の体面や面子があるから】

①みんなの前で「わたしがやります」と言ってしまった手前、もう引き下がれない。
②T社にはいつも世話になっている手前、今回もまた無理をお願いすることはできない。
③田中さんは子どもにディズニーランドへ連れていくと約束した手前、今年はどうしても行かなければならないそうだ。

○○ Vる・Vた・Nの ＋手前

▶何か言ったり、したりしてしまった後「ほかの人の前で自分の体面を保つため」という場面で使う。

練習 19 原因・理由

A ☐の中の言葉を使って、次の文を完成させなさい。1つの言葉は1回しか使いません。

　　　　a　による　　b　ところから　　c　からこそ
　　　　d　からには

1. この山は形が富士山に似ている＿＿＿「信濃富士」と呼ばれている。
2. 事故＿＿＿電車の遅れは10分ぐらいだった。
3. この本が好きだ＿＿＿あげるのですよ。要らないからじゃありません。
4. 新しいバイオリンを買ってもらった＿＿＿一生懸命に練習して上手にならなくては。

　　　　a　おかげで　　b　もん　　c　から　　d　せいか

19 原因・理由

5. きのうはコンピューターシステムの故障＿＿＿飛行機に乗れなくなった人が大勢いたそうだ。
6. 小学校の先生の教え方が上手だった＿＿＿、理科が好きになった。
7. 昨夜は寝る前に濃いお茶を飲んだ＿＿＿、なかなか寝られなかった。
8. 母「また、新しいTシャツを買ったの。たくさんあるじゃないの」
　　娘「だって、こんな色のがほしかったんだ＿＿＿」

```
a　あまりの    b　以上    c　につき
d　ばかりに
```

9. 妹はフルートを1年ほど習っていたが、＿＿＿難しさにとうとうやめてしまった。
10. 無理をして車を買った＿＿＿、お金がなくて旅行に行けなくなってしまった。
11. 自分からやってみたいと言った＿＿＿、この仕事は難しくても最後までやります。
12. 「工事中＿＿＿足もとにご注意ください」（立て札）

```
a　のことだ    b　ところをみると    c　だけに
d　上は
```

13. このように方針を決めた＿＿＿、もう迷わずにやるだけだ。
14. 足をひきずるようにして歩いている＿＿＿、明子さんはさっき転んだときにけがをしたんじゃないだろうか。
15. 鈴木さんは若い＿＿＿、外国語を習っても上手になるのが早い。
16. 「田中、遅いなあ。もう12時だぞ」
　　「あいつ＿＿＿。またどこかで飲んでいるんだろう」

```
a 手前    b こそ    c ではあるまいし
d とあって
```

17. 今日は「成人の日」＿＿＿、着物やスーツでおしゃれをした若者が多い。
18. 夏休みには沖縄の海にいっしょに行こうとわたしから友だちを誘った＿＿＿、いまさら忙しくて行けないとは言えない。
19. あなたのことを心配すれば＿＿＿、わたしは今、厳しいことを言うのです。
20. 神様＿＿＿、わたしは将来のことはわかりません。

B　どちらが正しいですか。正しい方の記号を○で囲みなさい。

1. 道路工事が多い { a せいで、 / b おかげで、 } うるさくて困る。

2. 王さんが翻訳してくださった { a おかげで、 / b ことから、 } よくわかりました。

3. この電車は強風 { a による、 / b によって、 } 運転が止まることが多い。

4. すてきな彼のことをいろいろと考える { a 以上、 / b あまり、 } 昨夜は眠れなかった。

5. 彼は才能がある { a だけに、 / b ところをみると、 } 今後の活躍が期待される。

6. 彼は郵便物の配達を早く終わりにしたい { a 以上、 / b ばかりに、 } 郵便物を捨ててしまったのだそうだ。

19 原因・理由

1

7．のどかな春の日 { a とあって、 / b のあまり、} 公園ではゆったりと休日を過ごす人々が見られた。

8．心をなぐさめるピアノが { a ある手前、 / b あればこそ、} 彼はつらい仕事にも耐えていけるのだろう。

C ☐ の中の言葉を使って、＿＿＿の部分を言い換えなさい。1つの言葉は1回しか使いません。

```
a による      b からには     c せいで
d のおかげで   e ことから
```
3

1．日本では梅雨があるから、秋には豊かに米が実る。
　　　（　　　　　　　　　）

2．雪が降ったから、試合が中止になってしまった。
　　　（　　　　　　　　　）

3．今年は不景気が原因で起こった倒産が多かった。
　　　（　　　　　　　　　）

4．兄は部屋の中をぐるぐる歩きまわるので、友だちから「くま」と呼ばれている。
　　　　　　　　　　　（　　　　　　　　　　）

5．外国へ行くのだから、その国の言葉が少しはわからないと困るだろう。
　　　（　　　　　　　　　）

a ばかりに	b 手前	c につき
d とあって	e じゃあるまいし	

6．大声を出したので、子どもが起きてしまった。
　　　　　（　　　　　　　　　）

7．改装中なので、しばらく休ませていただきます。
　（　　　　　　　）

8．大金持ちではないんだから、そんな高い指輪は買えません。
　（　　　　　　　　　）

9．「期日までに間に合います」と言った面子があるから、もし間に合わなかったら恥ずかしい。　　　　（　　　　　　　　）

10．ゴールデンウィークだから観光地はどこも人がいっぱいだ。
　　　（　　　　　　　　）

20 仮定条件・確定条件

Hypothetical Conditions / Definite Conditions
假定条件，确定条件
가정조건 / 확정조건

もしある状況になったら、または、ある状況のもとでは、そうする・そうなる、と言いたいときは、どんな言い方がありますか。

知っていますか

a　さえあれば　b　としたら　c　ないことには　d　をぬきにしては
e　ようものなら

1. 結婚するかどうかわからないが、もし、する＿＿＿30歳になる前がいい。
2. みんなの協力＿＿＿この仕事は成功しなかっただろう。
3. 家族が病気になると、健康で＿＿＿ほかに何も要らないと思う。
4. 佐藤さんという人がうちの仕事に合うかどうか、会ってみ＿＿＿わからない。
5. 兄はカメラをとても大切にしている。だまって借り＿＿＿後で大変なことになる。

使えますか

1. この仕事は時間さえ　{ a　なければできない。 / b　あればできる。 }
2. お金で解決できるものなら、{ a　そうしたい。 / b　お金が必要だ。 }
3. 宝くじでも当たらないかぎり、{ a　何か別の方法を考えよう。 / b　家は買えない。 }
4. ミキさんをぬきにしては、{ a　パーティーは楽しいだろう。 / b　パーティーは楽しくないだろう。 }
5. 夜、遅く帰ろうものなら、{ a　父にどなられる。 / b　父が駅に迎えに来てくれてうれしい。 }

答えは次のページにあります。

163

仮定条件・確定条件

もしある状況になったら、またはある状況のもとでは、そうする・そうなると言いたいとき

3
1　～さえ～ば
2　～としたら・
　　～とすれば・
　　～とすると
3　～ば～（のに）

2
4　～ないことには
5　～ものなら
6　～をぬきにしては
7　～ようものなら
8　～ないかぎり
9　～となると

1
10　～たら最後・～が最後
11　～なくして（は）
12　～とあれば

1　～さえ～ば　☕

①うちの子は暇さえあれば、本を読んでいます。
②湿度さえ低ければ、東京の夏は暮らしやすいのではないか。
③これは薬を飲みさえすれば治るという病気ではありません。
④課長にさえちゃんと断っておけば、今日の会議に欠席しても大丈夫だよ。
⑤この机、もう1サイズ小さくさえあれば、わたしの部屋にちょうどいいのですが。
⑥子どもたちの体さえ健康なら、親はそれだけで満足だ。

　　Vます　＋さえすれば

　　N（＋助詞）＋さえ　＋Vば／イAければ／ナAなら／Nなら

　　イAく／ナAで　＋さえあれば

▶「～さえ～ば…」の形で、「…」が可能になるのに必要な「～」というただ1つの条件を仮定するときに使う。

2　～としたら・～とすれば・～とすると【～と仮定したら】　☕

①もし、ここに100万円あったとしたら、何に使いますか。

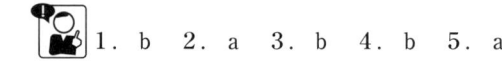

---

1. b　2. d　3. a　4. c　5. e　　　1. b　2. a　3. b　4. b　5. a

164

②この参加者名簿が正しいとしたら、まだ来ていない人が2人いる。

③わたしの言葉が彼の気分を悪くしたのだとしたら、本当に申し訳ないことをしたと思う。

④時給800円で1日4時間、1週間に5日働くとすれば、1週間で1万6,000円になる。

⑤報告書の数字が間違っているとすれば、結論はまったく違うものになるだろう。

⑥運転免許証を取るのに30万円以上もかかるとすると、今のわたしには無理だ。

⑦車を持っている彼が来ないとすると、だれが荷物を運んでくれるのだろうか。

🔗 普通形 ＋としたら

▶ 1)「～としたら・～とすれば・～とすると」の3つの形は、「あることを仮定したら」という基本的な意味は同じである。 2)「～としたら」は、「今はそのような状況にはないが、もしその状況を仮定したら」「不明なことを、そうだと仮定したら」という意味で使う。 3)「～とすれば」は、「そのように仮定すれば、ある論理的な結果になる」という意味で使うことが多い。 4)「～とすると」は、「そのように仮定すると、どういうことになるか」というニュアンスで使う。

3 ～ば～（のに） 3

①きのうのミーティングに君も来ればよかったのに。とても大切なことを話したよ。

②もう少し暇なら、お手伝いできたのに。すみません。

③店できれいなセーターを見たの。もっと安ければ買ったんだけれど……。

④若いうちにもっと外国語を勉強していたら、好きな旅行の仕事ができただろう。

🔗 Vば／イAければ／ナAなら（ば）／Nなら（ば） ＋～（のに）

▶ 1)「～ば」で事実とは違うことを仮定して考え、あとに実現しなかったことなどについて述べる。残念な気持ちを表す場合が多い。 2)「のに」以外に、「～ば…けれど・～ば…だろう・～ば…だろうに」の形もある。 3) ④のように、「たら」で言うこともできる。

4 ～ないことには【～しなければ】 2

①ある商品が売れるかどうかは、市場調査をしてみないことには、わからない。

②山田さんが資料を持っているんだから、彼が来ないことには会議が始まりません。

③体が健康でないことには、いい仕事はできないだろう。

④まことに申し訳ありませんが、ご本人様であることを証明するものがないことには、お支払いすることができません。

🔗 Vない／イAくない／ナAでない／Nでない ＋ことには

▶「～なければ、後の事柄は実現しない」と言いたいときに使う。後には否定の意味の文が来る。話者の否定的・消極的な気持ちを表す場合が多い。

5　～ものなら【もしできるなら】

①できるものなら鳥になって国へ帰りたい。
②この仕事、やめられるものなら、今すぐにでもやめたい。でも家族がいるからなあ。
③スケジュールが自由になるものなら、広島に1泊したいのだが、そうもいかない。
④治るものなら、どんな手術でも受けます。

🔗 Vる（可能の意味の動詞）　＋ものなら

▶「～ものなら」の前には可能の意味を含む動詞が来る。そして実現が難しそうなことを、「もしできるなら・そうなるなら」と仮定して、後の文で希望など話者の意志を表す。

6　～をぬきにしては【～を考えに入れずには】

①料理のじょうずな山田さんをぬきにしては、パーティーは開けません。
②悪条件の中の登山は、隊長の強いリーダーシップをぬきにしては成功しない。
③この国の将来は、観光事業の発展をぬきにしてはあり得ない。

🔗 N ＋をぬきにしては

▶ 1)「ある事柄は、～を考えに入れないと実現が難しい」と言うときに使う。　2)「～」には話者が高く評価する事柄が来る。後には「することができない・難しい」という否定的な意味の文が来る。

7　～ようものなら【もし～のようなことをしたら／もし～のようなことになったら】

①この学校は規則が厳しいから、断らずに休もうものなら、大変だ。
②彼のような責任感のない人が委員長になろうものなら、この委員会の活動はめちゃくちゃになる。わたしは反対だ。
③彼女はこの仕事にすべてをかけている。もし失敗しようものなら、2度と立ち直れな

いのではないか。

○○ Vよう ＋ものなら

▶「万一そんなことになったら大変な事態になる」という意味のいくらか誇張した言い方。

8　〜ないかぎり【〜しなければ】

①この建物は許可がないかぎり、見学できません。
②責任者の田中さんが賛成しないかぎり、この企画書を通すわけにはいかない。
③参加各国の協力が得られないかぎり、この大会を今年中に開くことは不可能だ。
④化学の実験で水といえば、特に断らないかぎり、（普通の水ではなく）蒸留水のことを指す。

○○ Vない ＋かぎり

▶ 1)「〜ないかぎり…」の形で「〜の条件が満たされない間は、…の事柄が実現しない」という意味。また、「その条件が満たされれば、後の状況も変わる」という意味合いを含む。　2) 後の文には、否定や困難の意味を表す文が来る。ただし、④のように、「普通の水ではなく」という否定の部分が省略されることもある。

9　〜となると【もしそうなった場合は／もしそうなったのなら】

①夫「太郎が大阪へ行くことになるかもしれないよ」
　妻「そう。太郎が大阪転勤となると、これからメールや電話のやりとりで忙しくなるね」
②「試験の成績が悪い場合は、レポートを書かされるらしいよ」
　「そうか。夏休み前にレポートを書くとなると、ちょっと大変だなあ」
③管理人「こちらの駐車場は工事中なので、しばらく使えません」
　A　　「え、この駐車場が使えないとなると、ちょっと不便だなあ」
④「川田教授は、今回の学長選挙に立候補しなかったらしいですよ」
　「そうですか。川田教授が出ないとなると、次期学長は石井教授に決まりだな」

○○ N／普通形 ＋となると

▶ 1)「もしそういうことになった場合は、別の新しいことが発生する」と言いたいときに使う。

2）③④は、「そういうことに決まったのなら」と事実となったことについて言う場合である。

10　～たら最後・～が最後

【もし～のようなことをしたら／もし～のようなことになったら】

①まさおは遊びに出かけたら最後、暗くなるまで戻ってきません。

②あの人にお金を貸したら最後、ぜったいに返してくれない。だからわたしはあの人にはお金を貸さないんです。

③人は1度信用を失ったが最後、再び信用を取り戻すのは簡単ではない。

④この作家の推理小説は構成が非常に複雑なので、話の筋道を失ったが最後、推理のおもしろさが半減する。

　　Ｖたら・Ｖたが　＋最後

▶ 1)「最後」という言葉の示すとおり、「～のようなことをしたら、もうすべてがだめになる、最後だ」という気持ちで使う。　2)「～たら最後」のほうが口語的。

11　～なくして（は）【～がなければ】

①努力なくしては成功などあり得ない。

②事実の究明なくしては、有罪か無罪かの正しい判断などできるはずがない。

③愛なくして何の人生だろうか。

　　Ｎ　＋なくして（は）

▶ 1)「～なくして（は）…」の形で、「～がなければ、…の実現は難しいだろう」と言いたいときに使う。いくらか古めかしい表現。　2)「～」には望ましい意味の名詞が来る。「…」には否定的な意味の文が来る。

12　～とあれば【～なら】

①子どもの教育費とあれば、多少の出費もしかたがない。

②彼は人柄がいいから、彼のためとあれば協力を惜しまない人が多いだろう。

　　Ｎ　＋とあれば

▶ 1)「～のためなら、または、～のためだからそのことは必要だ、受け入れられる」と言いたいと

きに使う。　2）②のように、慣用的に「〜ためとあれば」の形で使われることが多い。後には依頼や誘いの文は来ない。

練習 20　仮定条件・確定条件

A　□の中の言葉を使って、＿＿＿の部分を言い換えなさい。1つの言葉は1回しか使いません。

　　　a　さえ〜ば　　b　をぬきにしては　　c　ものなら
　　　d　としたら　　e　ないことには

1．もし世界一周旅行に<u>行くと仮定したら</u>、飛行機と船旅とどちらがいいだろうか。
　　　　　　　　　　（　　　　　　　　　　）
2．この会は一般会員の人たちの<u>協力を考えに入れずには</u>運営できない。
　　　　　　　　　　　　　　　（　　　　　　　　　　　　）
3．設備も人材もそろっている。ただ、もう少し<u>十分な研究費があれば</u>、もっとよい仕事ができるのだが。　　　　　　　　　　　（　　　　　　　　　　　　）
4．だれの人生にも、<u>会えるなら</u>ぜひもう1度会いたいという人が何人もいるだろう。
　　　　　　　　　（　　　　　　　　　　）
5．そのクラスがどんなクラスか、<u>入ってみなければ</u>わからない。1度見学してみよう。
　　　　　　　　　　（　　　　　　　　　　）

a　とあれば	b　たら最後	c　ないかぎり
d　ようものなら	e　なくしては	f　となると

6．父は、子どもが弱い者いじめのようなことを<u>したら</u>、絶対に許さないという人でした。　　　　　　　　　　（　　　　　　　　　　）

7．彼が誠意を<u>示さなければ</u>、わたしは2度と彼と仕事をするつもりはない。
　　　　　　（　　　　　　　　　　）

8．君との<u>友情がなければ</u>、ぼくは今日まで生きてはこられなかった。
　　　　　　（　　　　　　　　　　）

9．あの人にお金を<u>渡したら</u>もう終わり、なくなるまでお酒を飲んでしまう。
　　　　　　　　　　（　　　　　　　　　　）

10．<u>交流会に参加することになったら</u>、アルバイトを休まなければならない。休みをもらえるかなあ。（　　　　　　　　　　）

11．お世話になった<u>木村さんのためなら</u>、相当の援助を惜しまないつもりだ。
　　　　　　　　　（　　　　　　　　　　）

B　　　　の中の言葉を使って、次の文を完成させなさい。1つの言葉は1回しか使いません。

a　ものなら	b　さえ	c　をぬきにしては
d　とすると	e　となると	f　が最後	g　ないかぎり

マキ「久しぶりで歌舞伎を見に行こうと思うんだけど、あなたも行ってみない？」

ゆり「歌舞伎？　学生のころ、1回見ただけだけど」

マキ「大丈夫よ。ストーリー1＿＿＿＿＿読んでおけば、楽しめるよ」

ゆり「それなら、行ってみようか。行く2＿＿＿＿＿、いつ？　わたしは、日曜日じゃ3＿＿＿＿＿いつでもいいよ」

20 仮定条件・確定条件

マキ「じゃ、土曜日の晩にしよう。一郎さんも誘ったら？」

ゆり「彼は、コンサートや芝居が始まるとすぐ眠くなって、居眠りを始めた4＿＿＿＿、絶対に起きないからねえ。でも、誘ってみるわ。ひろし君は？」

マキ「彼はわたしとどこへでも行きたがるから、誘わずに行こう5＿＿＿＿、大変よ。それに、彼は歌舞伎に特に詳しいから、彼6＿＿＿＿歌舞伎観賞は無理ね」

ゆり「へえ、そうなの」

マキ「さて、4人で行く7＿＿＿＿、早めに席を予約しないとね」

ゆり「じゃあ、お願いします」

21 逆接仮定条件

Adversative Hypothetical Conditions
逆接假定条件
역접의 가정조건

ある状況になっても、そうする・そうなると言いたいときは、どんな言い方がありますか。

知っていますか

1. たとえ大きい地震が（a 起きたら　b 起きても　c 起きると）、このビルは大丈夫だろう。

2. どんな会社を始める（a としたら　b としても　c とすれば）、お金が必要だ。

3. あなたがどちらの進路を選ぶ（a として　b としろ　c にせよ）、わたしはあなたを応援し続けます。

4. 結婚するにしろ、しない（a とせよ　b にしろ　c にせよ）早く自分の家を持ちたい。

5. 今からどんなに（a がんばったとしても　b がんばったら　c がんばれば）、もうどうにもならない。

使えますか

1. { a たとえ1日が24時間でも、
　　b たとえ1日が30時間でも、} わたしはやっぱり忙しい。

2. どんなに急いだとしても、{ a 8時の新幹線に乗れるだろう。
　　　　　　　　　　　　　b 8時の新幹線には乗れないだろう。}

3. { a だれか訪ねてくるとしても、
　　b だれも訪ねてこないとしても、} いつも部屋をきれいにしておきなさい。

4. どんなに高い本であるにせよ、{ a 彼なら買えるだろう。
　　　　　　　　　　　　　　　b わたしには買えないだろう。}

5. { a どこへ行くにしろ、
　　b わたしの妹は5歳にしろ、} 妹はわたしといっしょに行きたがる。

答えは次のページにあります。

21 逆接仮定条件

逆接仮定条件　ある状況になっても、そうする・そうなると言いたいとき

```
3              2                1
1  たとえ〜ても    3  〜にしても・      4  〜たところで
2  〜としても        〜にしろ・       5  〜であれ・〜であろうと
                   〜にせよ         6  〜ようが・〜ようと（も）
                                  7  〜ようが〜まいが・〜ようと〜まいと
```

1　たとえ〜ても【もし〜ということになっても】

①たとえ大雪が降っても、仕事は休めません。

②たとえお金がなくても、幸せに暮らせる方法はあるだろう。

③たとえ彼の友人たちがどんなに反対しても、彼はこの町を出ていくだろう。

④たとえ夫の病気がどんなに心配でも、子どもたちに話すことはできない。

○○　たとえ　＋Vても／イAくても／ナAでも／Nでも

▶「たとえ〜ても、…」の形で、「もし〜ても、それに関係なく、…」と言いたいときの表現。

2　〜としても【〜と仮定しても】

①新しい仕事を探すとしても、この町を離れたくない。

②オーストラリアに行くとしても、予定がいっぱいなので今年は無理です。

③もし、あの時彼が求婚しなかったとしても、わたしの方から結婚の話をしていただろう。

④マンションを買うとしたって、駅の近くは無理だね。

○○　普通形　＋としても

▶ 1)「たとえ〜と仮定しても」という意味。後の文には、それから予想されることとは合わないことを言う。話す人の主張・意見などを言うことが多い。　2）3「〜にしても」と意味・使い方は大体同じだが、より仮定の意味が強い。「可能性があるかどうかはわからないが・たとえ〜と仮定

---

1. b　2. b　3. c　4. b　5. a　　　1. b　2. b　3. b　4. a　5. a

しても」と言いたいときに使う。　3)「もし・たとえ・仮に」などとともによく使う。　4) ③のように、事実とは違うことを想像して言う場合もある。　5) ④のように、くだけた会話では「〜としたって」になる。

3　〜にしても・〜にしろ・〜にせよ【〜と仮定しても】

①もしこの仕事をするにしても、あまり長くは続けたくない。
②どんな会社の試験を受けるにしろ、面接に行くときには身なりだけはきちんとしなさい。
③いつ出発するにしろ、準備だけはしておいた方がいい。
④たとえわずかな額にせよ、予算を使う場合は委員会の承認を得なければならない。
⑤もし少年が家出をしたにせよ、まだそんなに遠くへは行っていないだろう。

　　N／普通形（ナAである／Nである）＋にしても・にしろ・にせよ

▶ 1)「たとえ〜と仮定しても」という意味。後の文には、それから予想されることとは合わないことを言う。話者の主張・意見などを言うことが多い。　2)「もし・たとえ・仮に・疑問詞」とともに使うことが多い。　3)「〜にせよ」は硬い言い方である。

→ 15課2「〜にしても〜にしても」4「〜にしろ〜にしろ・〜にせよ〜にせよ」／
　　　　　　　　　　　　　　　　　　　　　18課8「〜にしても・〜にしろ・〜にせよ」

4　〜たところで【〜ても】

①今から車を飛ばしていったところで、間に合わない。
②まわりの人がどんなに止めたところで、彼女はこの会を辞めるだろう。
③10時間話し合ったところで、いい解決策はないだろう。
④わたしはいくら練習したところで、選手になれないことはわかっている。

　　Vた　＋ところで

▶ 1)「仮に〜が成立しても、結果は予期に反してむだなことになってしまう。程度が低い結果にしかならない」という話者の判断を言うときに使うことが多い。　2) 後の文は話者の主観的断定・推量などが多い。文末に過去形は使わない。　3)「どんなに・いくら・疑問詞・数量を表す言葉」とともに使うことが多い。

5　～であれ・～であろうと 【～であっても】

①たとえ命令されたことが何であれ、上司の言葉には逆らえない。
②相手が教授であれ、上級生であれ、自分の意見をはっきり言うべきだ。
③転勤する先がどんなところであれ、わたしは一生懸命に勤めるつもりだ。
④いかなる国であろうと、若い人を大切にしない国に将来はない。

　　N　＋であれ

▶ 1）「～に関係なく」という意味で、後の文には話者の主観的判断や推量を表す文が来ることが多い。

　2）②のように「N₁であれN₂であれ」の形もある。「たとえ・疑問詞」とともに使うことが多い。

→ 15課10「～であれ～であれ・～であろうと～であろうと」

6　～ようが・～ようと（も）【もし～ても】

①ほかの人からどんなに悪く言われようが、あの人は平気だ。
②雨が降ろうがやりが降ろうが、彼は行くだろう。
③たとえ、だれが何と言おうとも、彼は決心を曲げないだろう。
④たとえ相手が世界チャンピオンだろうと、おれは闘うぞ。
⑤ロシアがどんなに寒かろうとも、このコートと帽子があれば大丈夫だ。
⑥嵐だろうと地震だろうと、この建物にいれば安全だ。

　　Vよう／イAかろう／ナAだろう／Nだろう　＋が

▶ 1）「もし～してもそれに関係なく」という意味で、後には「影響されない・自由だ・平気だ」という意味の文が続く。②は慣用表現。　2）「たとえ・疑問詞」とともに使うことが多い。

7　～ようが～まいが・～ようと～まいと 【～ても～なくても】

①夏休みに帰国しようがするまいが、論文は8月末までに完成させなければならない。
②会に出席しようが出席するまいが、年会費は払わなければならない。
③雨が降ろうと降るまいと、この行事は毎年かならず同じ日に行われます。
④あの人が来ようと来るまいと、わたしには関係がないことだ。

　　Vよう　＋が＋Vる　＋まいが

（動詞Ⅱ・Ⅲは「V~~ない~~＋まいが」もある。「する」は「すまい」もある）

▶「たとえ～しても～しなくても」と仮定して、どちらの場合にも後の文が成立すると言いたいときに使う。「～ようと～まいと」もほとんど同じように使う。

練習 21　逆接仮定条件

A（　）の中の言葉を使って、＿＿＿の部分を言い換えなさい。

③②

1．<u>病気になっても</u>、彼はたばこをやめないだろう。（たとえ～ても）
   （　　　　　　　　　　）

2．1人暮らしを<u>すると仮定しても</u>、親元からあまり離れたくない。（としても）
   　　　　　　（　　　　　　　　　）

3．山の中の暮らしがたとえ<u>不便であっても</u>、わたしはやはり都会を離れて山に住みたい。（～にしろ）（　　　　　　　　　　　）

4．この計画を実行するかしないか、今検討中です。<u>どちらになる場合でも</u>、今月末までに結論を出します。（～にせよ）　　　（　　　　　　　　　　　　　）

①

5．どんなに<u>忠告しても</u>、あの人は聞き入れないだろう。（～たところで）
   　　　　（　　　　　　　　　　）

6．たとえ<u>アルバイトでも</u>仕事には責任を持たなければいけない。（～であろうと）
   　　　　（　　　　　　　　　）

7．相手が<u>だれでも</u>、川田さんはていねいに話す人です。（～であれ）
   　　　　（　　　　　　　　　）

8．人に<u>なんと言われても</u>、わたしは決心を変えるつもりはない。（～ようと）
   　　　（　　　　　　　　　　　）

9．<u>雨が降っても</u>、<u>雪が降っても</u>、走る練習をしなければならない。（～ようが）
   　（　　　　　　　　　　）

176

10. 試合に勝っても勝たなくても、この大会に参加することに意味がある。

   （～ようが～まいが）（　　　　　　　　　　　　　）

B 次の文の＿＿＿に入る最もよいものを選んで、その記号を○で囲みなさい。❸❷❶

1. 今の態度を ＿＿＿ ＿＿＿ ＿＿＿ ＿＿＿ 同じ結果に終わるだろう。

   a 会社を　b 改めなければ　c にせよ　d 移った

2. 人に ＿＿＿ ＿＿＿ ＿＿＿ ＿＿＿ 変えるつもりはないらしい。

   a あの人は　b 非難されようと　c なんと　d 自分の生き方を

3. ＿＿＿ ＿＿＿ ＿＿＿ ＿＿＿ 今の段階では、出ないだろう。

   a 考えた　b 結論は　c ところで　d いくら

4. どんなに ＿＿＿ ＿＿＿ ＿＿＿ ＿＿＿ よさそうなものだ。

   a メールぐらい　b くれても　c 仕事で　d 忙しくても

5. 「旅行に行けそう？」

   「そうね、＿＿＿ ＿＿＿ ＿＿＿ ＿＿＿ の方がいいんじゃない？」

   a 連休が　b にしたって　c 終わってから　d 行く

6. ＿＿＿ ＿＿＿ ＿＿＿ ＿＿＿ 、政府は約束を守ってほしい。

   a 上がるまいが　b 支持率が　c 上がろうが　d 国民の

22 不可能・可能・困難・容易

Impossibility / Possibility / Difficulty / Easiness
不可能，可能，困难，容易
불가능 / 가능 / 곤란 / 용이

ある事情によりそのことができない・できる・むずかしい・やさしいと言いたいときは、どんな言い方がありますか。

知っていますか

a ようがない　b わけにはいかない　c かねる　d 得ない　e がたい

1. テレビの修理屋が今日来ると言っていたから、留守にする＿＿＿＿。
2. 彼はその晩わたしの家にいたのだから、事件の場所にいたなどということはあり＿＿＿＿。
3. 彼が最近言ったり書いたりしていることは、理解し＿＿＿＿。
4. 彼からは国を出てから何の連絡もないので、手紙の出し＿＿＿＿。
5. 入ったばかりの会社をやめてしまったなどとは、両親には言い出し＿＿＿＿。

使えますか

1.
   - a 材料が何もないのだから、おいしい料理など作りようがない。
   - b 今日は疲れているから、食事など作りようがない。
2.
   - a ここから富士山が見え得ますか。
   - b 考え得る方法は、もうみんな試してみたのだが……。
3.
   - a 法律では未成年者はたばこを吸うわけにはいかないことになっている。
   - b 彼女からのせっかくのプレゼントだから、大きすぎるなどと言うわけにはいかない。
4.
   - a わたしの仕事は夜の仕事なので、朝早くは起きがたい。
   - b 労働条件についての会社側のこの提案は受け入れがたい。
5.
   - a それについてはすぐにはお答えしかねます。
   - b 新しいパソコンを買いたかったのだが、お金が足りなくて買いかねた。

答えは次のページにあります。

不可能・可能・困難・容易

ある事情によりそのことができない・できる・むずかしい・やさしいと言いたいとき

3
1 ～わけにはいかない
2 ～ようがない・
　～ようもない

2
3 ～がたい
4 ～かねる
5 ～得る・～得ない

1
6 ～ようにも～ない
7 ～に足る
8 ～にたえる・～にたえない

1　～わけにはいかない【～できない】

①あしたは試験があるから、今日は遊んでいる<u>わけにはいかない</u>。

②これは亡くなった友人がくれた大切なもので、あげる<u>わけにはいかない</u>んです。

③「そろそろ帰りませんか」

　「大事な話があって課長を待っているので、帰る<u>わけにはいかない</u>んですよ」

④明日は会社の面接試験だ。ぜったいに遅刻する<u>わけにはいかない</u>。

　　Vる　＋わけにはいかない

▶「したい気持ちはあるが、社会的な通念や常識から考えて、また、心理的な理由があってできない」と言いたいときに使う。「能力的に、または規則でできない」という意味では使わない。

　　× 係の人「ここは立ち入り禁止ですから、入る<u>わけにはいきません</u>」
　　○ 通行人「立ち入り禁止か。じゃ、入る<u>わけにはいかない</u>な」

2　～ようがない・～ようもない【～できない】

①あの人の住所も電話番号もわからないのですから、連絡の<u>しようがありません</u>。

②この時計は古くてもう部品がないから、<u>直しようがない</u>。

③森田さんの山の家は、バスも通っていないから、車がないと<u>行きようがない</u>らしい。

④社員はやる気があるのだが、会社の方針が変わらないのだ<u>からどうしようもない</u>。

　　Vます　＋ようがない

1. b　2. d　3. e　4. a　5. c　　　1. a　2. b　3. b　4. b　5. a

▶「そうしたいが、その手段・方法がなくてできない」、または「どんな方法でも無理だ」と言いたいときに使う。「よう」は「様」で、「方法」の意味である。

3 〜がたい【〜するのは難しい】

①あの元気なひろしが病気になるなんて信じがたいことです。
②弱い者をいじめるとは許しがたい行為だ。
③南の国から来たポンさんは、初めての日本の冬が耐えがたかったらしく、国へ帰ってしまった。

◎◎ Vます ＋がたい

▶ 1)「そうすることは難しい・不可能だ」という意味。やや古い言い方。 2)「信じる・許す・理解する・想像する・受け入れる」などの動詞とともによく使われる。 3)「能力的にできない」という意味では使わない。

×わたしにはパソコンは難しくて、使いがたいです。
×まだけがが治っていないので、長い時間は歩きがたい。

4 〜かねる【〜できない】

①課長に残業を頼まれて、断りかねて10時まで働いた。
②そろそろ就職活動を始めるんですが、IT関係の会社にするか、マスコミ関係の会社にするか、決めかねています。
③客「ホンコン行きの飛行機は何時に出ますか」
　係「ここではわかりかねますので、あちらのカウンターでお聞きください」
④ただいまのご説明では、私どもとしては納得しかねます。

◎◎ Vます ＋かねる

▶ 1)「気持ちの上で抵抗があって、そうすることはできない・難しい」という意味を表す。
　2)サービス業などで客の希望に応じられないことを婉曲に言う場合や、ビジネスなどの改まった場面で使われることが多い。

22 不可能・可能・困難・容易

5 〜得る・〜得ない【できる／〜の可能性がある／できない／〜の可能性がない】

①これは仕事を成功させるために考え得る最上の方法です。
②この事故はいつでも起こり得ることとして十分注意が必要だ。
③この事故はまったく予測し得ぬことであった。
④親友を失った悲しみは言葉では表し得ない。
⑤「彼は1人でロンドンへ行くんですか」
　「そんなことは、彼の場合、あり得ませんよ。家族第一だから」

○○○　Vます ＋得る

▶ 1)「〜得る」は、「そうすることができる・そうなる可能性がある」（①②）の意味で、「〜得ない」は、「できない・可能性がない」（③④⑤）の意味である。いくらか硬い言い方。　2) 辞書形は「える・うる」の2つの読み方があり、ない形などそのほかの形では「えない」などと読む。この使い方では「Vうる・Vえない」と読む。　3)「能力的にできる・できない」の意味では使わない。
　　×わたしは難しい漢字は書き得ません。

6 〜ようにも〜ない【〜しようと思ってもできない】

①大切な電話が来ることになっているので、出かけようにも出かけられません。
②言葉がまったく通じないので、道を聞こうにも聞けなくて困った。
③お金に困っている後輩から借金を頼まれて、断ろうにも断れなかった。
④うっかり携帯電話を充電するのを忘れていたので、すぐ連絡しようにもできなかったんです。

○○○　Vよう＋にも　＋Vない

▶ 1)「〜しようと思っても、それを妨げる事情があってできない」という意味。　2)「にも」の前後は同じ動詞を使い、前は意志動詞の意志形、後はその可能動詞である。　3) どちらかというと言い訳のような、消極的な気持ちを表すことが多い。

7 〜に足る【〜できる／〜するだけの価値がある】

①彼は今度の数学オリンピックで十分満足に足る成績がとれるだろう。

②これはわざわざ議論するに足る問題だろうか。

③田中君は大学の代表として推薦するに足る有望な学生だ。

🔗 Vる／する動詞のN ＋に足る

▶ 1）「〜に足る＋N」の形で、「〜できる・〜するだけの価値がある人やものごと」を言いたいときに使う。　2）「〜」にはこのほか、「尊敬する・信頼する」などの動詞もよく使われる。

8　〜にたえる・〜にたえない【〜するだけの価値がある／〜することに耐えられない】

①あの映画は子ども向けですが、大人の鑑賞にも十分たえます。

②彼の小説はまだ、小説好きの読者が読むにたえる本ではない。

③事故現場はまったく見るにたえないありさまだった。

④あの人の話はいつも人の悪口ばかりで、聞くにたえない。

🔗 Vる／する動詞のN ＋にたえる

▶ 1）「〜にたえる」は「そうするだけの価値がある」という意味。「そうするだけの価値がない」と否定したいときは、②のように「〜にたえるNではない」の形を使う。　2）「〜にたえない」は「不快感があって、見たり聞いたりすることに耐えられない」という意味を表す。「見る・聞く」などの限られた動詞にしかつかない。

練習 22　不可能・可能・困難・容易

A 　□　の中の言葉と、（　）の中の言葉をいっしょに使って、文を完成させなさい。必要なら、a〜cの形を変えなさい。

| a　わけにはいかない　　b　かねる　　c　ようがない |

1.「このCDプレーヤー、もう少し安くなりませんか」
　「申し訳ございませんが、これ以上お安くは＿＿（いたす）＿＿＿＿＿＿＿＿＿」

22 不可能・可能・困難・容易

2．申し訳ありません。このそうじ機は型が古いため部品がなく、(直す)_____んです。

3．わたしの仕事の遅れで同僚には何回も迷惑をかけているので、今回の仕事では(遅れる)_____んです。

4．田中課長は今、休暇を取って旅行中なので、この2日間は連絡の(取る)_____ということです。

5．先週もバイトを休んだから、今週は(休む)_____だろうな。

6．友人にお金を借りに行ったのですが、やはり(言い出す)_____、そのまま帰ってきてしまいました。

B ☐ の中の言葉と、（　）の中の言葉をいっしょに使って、文を完成させなさい。必要なら、a～eの形を変えなさい。1つの言葉は1回しか使いません。

```
a  にたえない     b  に足る     c  がたい
d  得ない         e  ようにも～ない
```

山下さんが会社のお金を不正に使ってしまったんですって。山下さんという人をよく知っているわたしとしてはとても1 (信じる)_____ことです。そんなことは絶対に2 (ある)_____と思います。だって彼ほど3 (信頼)_____人はいないといつも思っていたんですもの。もし事実だとしたら、今ごろは後悔して、どんなに苦しんでいるか……。上田さんなんか、4 (聞く)_____ひどいことを言っているんですよ。もし、このことが原因で会社をやめることにでもなったら、わたしは5 (なぐさめる)_____。わたしに何かしてあげられることはないかしら。早く事実を知らなければ……。

23 傾向・状態・様子

Tendency / Condition / Appearance
傾向，状态，情况
경향 / 상태 / 모습

ものごとがどんな状態・状況か、または、動作がどんな様子かを言いたいときは、どんな言い方がありますか。

知っていますか

a　がち　b　だらけ　c　ようにして　d　っぽい　e　かのように

1．忙しくて何日もそうじしなかったから、部屋がほこり＿＿＿＿＿だ。
2．山の上で見る星は今にも降ってくる＿＿＿＿＿近く感じられる。
3．外食ばかりしていると、カルシウムが不足＿＿＿＿＿になる。
4．こんな子ども＿＿＿＿＿服はもう着られないよ。
5．かばんの中に押し込む＿＿＿＿＿、たくさんの書類を入れた。

使えますか

1．週末は ｛ a　くもりがちの天気になるそうだ。
　　　　　　b　晴れがちの天気になるそうだ。

2．わあ、 ｛ a　花だらけの庭ですね。きれいですね。
　　　　　　b　ごみだらけの庭だなあ。そうじした方がいいよ。

3．最近、山田さんは ｛ a　会社を休みっぽい。疲れているのだろうか。
　　　　　　　　　　　b　忘れっぽくなって困ったと言っている。

4．｛ a　このごろ成績が下がり気味で、
　　　b　このごろあの夫婦は離婚気味で、 ｝ 心配している。

5．あの子はけがをしたのか、 ｛ a　歩くようにして足を引きずっています。
　　　　　　　　　　　　　　　b　足を引きずるようにして歩いています。

答えは次のページにあります。

184

23 傾向・状態・様子

Ⅰ 傾向・状態　ものごとがどんな状態かを言いたいとき

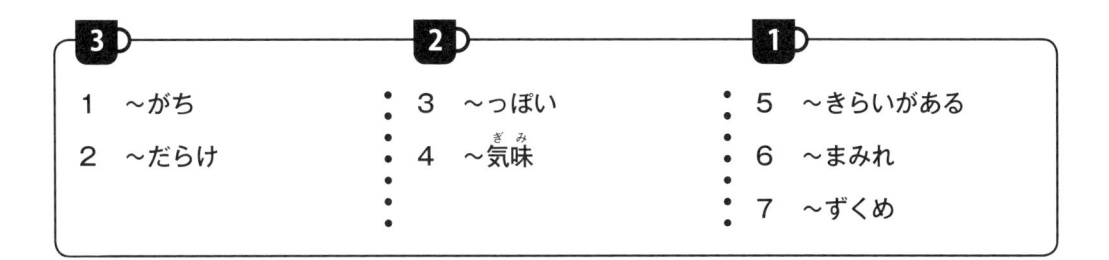

3
1　～がち
2　～だらけ

2
3　～っぽい
4　～気味

1
5　～きらいがある
6　～まみれ
7　～ずくめ

Ⅰ・1　～がち　【よく～になる／～の状態になることが多い】 **3**

① わたしは田中さんに「手伝ってもらえませんか」と、えんりょがちに頼んでみた。
② 昨年は病気がちの1年間でしたが、今年はとても元気に過ごしています。
③ 彼はものごとを甘く考えがちだ。もっと現実をしっかり見た方がいいと思う。

◯◯　Vます／N ＋がち

▶ 1）「～の状態になりやすい傾向がある、または、～の割合・～の回数が多い」と言いたいときに使う。主によくない傾向に使う。　2）「とかく～がち」の形でよく使う。ほかに「留守がち・忘れがち・休みがち・遅れがち」などの例がある。

Ⅰ・2　～だらけ　【見たところ～がたくさんある／よくない～がたくさんついている】 **3**

① 子どもたちは泥だらけになって遊んでいる。
② わたしが英語で書いた間違いだらけの手紙をジムに直してもらった。
③ この古い机はもう傷だらけだ。でも、大切な思い出のものだから捨てたくない。

◯◯　N ＋だらけ

▶ 「よくないものがたくさん見える・たくさんついている」という意味。ほかに「ほこりだらけ・ごみだらけ・血だらけ・しわだらけ・穴だらけ」などがある。

Ⅰ・3　～っぽい　【～の感じがする／～の傾向がある】 **2**

① あの黒っぽいセーターを着ている人が田中さんです。

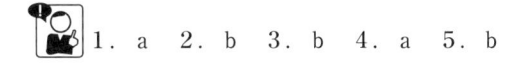

---

1. b　2. e　3. a　4. d　5. c　　　1. a　2. b　3. b　4. a　5. b

185

②花子は飽きっぽい。何をやってもすぐやめてしまう。

③父は怒りっぽくて、小さいことでもすぐ怒る。

④あの子はこのごろ大人っぽくなったね。

○○ Vます／N ＋っぽい

▶ 1) ものの性質について、「〜の感じがする・〜の傾向がある」と言いたいときに使う。よくないことに使うことが多い。　2) ほかに「男っぽい・女っぽい・白っぽい・湿っぽい・汚れっぽい」などの例がある。

I・4　〜気味【少し〜の感じがする】

①今日はちょっとかぜ気味なので、早めに帰らせてください。
②最近、忙しい仕事が続いたので少し疲れ気味です。
③長雨のため、このところ工事はかなり遅れ気味だ。
④きのうのサッカーの試合でうちのチームは終始相手チームに押され気味だったが、最後にゴールを決めた。

○○ Vます／N ＋気味

▶ 1) 「程度はあまり強くないが、〜の傾向がある」と言いたいときの表現。よくない場合に使うことが多い。　2) ほかに、「太り気味・不足気味・緊張気味・物価が上がり気味」などの例がある。

I・5　〜きらいがある【〜の傾向がある】

①あの人の話はいつも大げさになるきらいがある。
②田中課長は大切な文書を注意深く読まないきらいがある。
③われわれは厳しい現実から目をそらすというきらいがあるのではないか。
④メールが普及した今、現代人にはコミュニケーション力低下のきらいがあると思う。

○○ Vる・Vない／Nの ＋きらいがある

▶ 1) 自然にそうなりやすい、よくない傾向について批判的に言うときに使う。その時の外見ではなく、本質的な性質に使われる。　2) 「どうも〜きらいがある」の形でよく使われる。

Ⅰ・6 ～まみれ【～がたくさんついている】

①吉田さんは工事現場で毎日ほこりまみれになって働いている。
②足跡から、犯人は泥まみれの靴をはいていたと思われる。
③今日は朝から農作業で、全身汗まみれです。

N ＋まみれ

▶不快な液体や細かいものが体など全体について汚れている様子を言う。体そのものの変化や、ある場所にたくさんあるもの、散らかっているものなどには使わない。

　　×傷まみれ　×しわまみれ　×間違いまみれ

Ⅰ・7 ～ずくめ【～が多い／～が身の周りに続いて起こる】

①山田さんのうちは、長男の結婚や長女の出産など、最近、おめでたいことずくめだ。
②きのうのパーティーは和食・洋食・中華料理など、ごちそうずくめだった。
③就職が内定したり彼からプレゼントが届いたり、今日は朝からいいことずくめだ。

N ＋ずくめ

▶「～で満たされている・～が次々起こる」という意味。物・色・できごとなどにも使う。身の周りの生活上のことでいいことの例が多い

Ⅱ 様子　ものごとがどんな状況か、または動作がどんな様子かを言いたいとき

3	2	1
	1　～かのように・～かのような・ 　　～かのようだ 2　～ようにして 3　～げ	4　～ともなく・～ともなしに 5　～ながら（に）・～ながらの 6　～んばかりに・～んばかりの・ 　　～んばかりだ

Ⅱ・1 ～かのように・～かのような・～かのようだ【～ように】

①彼女は事故の後も、何事もなかったかのように明るくふるまっていた。

②リンさんはその写真をまるで宝ものか何かのように大切にしている。
③山口さんは事情をよく知っていたはずだが、何も知らないかのような顔をしていた。
④結婚式の日は、まるで夢の中にいるかのようだった。

○○○　普通形（ナAである／N・Nである）＋かのように

▶ 1）実際にはそうではないが、「まるで～ように」と何かにたとえて言うときの表現。　2）②の「～か何か」は「～か、またはそれに類するようなもの」という意味で慣用的に使われる。

Ⅱ・2　～ようにして【少し～ような動作をして】

①玄関のドアを開けると、犬が転がるようにして飛び出してきた。
②今日はうれしいプレゼントが届く日だった。ぼくは飛ぶようにして家に帰った。
③この汚れはたたくようにして洗うとよく落ちます。

○○○　Vる　＋ようにして

▶「実際にそうするのではないが、そのような気持ちで」、または「ちょっとそのような動作をしながら本来の動作をする」と言いたいときの表現。

Ⅱ・3　～げ【～そう】

①「この絵、よく描けたね」と言うと、子どもはさも満足げにうなずいた。
②今日のマリはなんとなく寂しげな表情をしている。
③会議の後、彼はいかにも不満ありげだった。

○○○　イA<del>い</del>／ナA　＋げ（Nあり<del>ます</del>　＋げ　の形もある）

▶ 1）人の気持ちを表す言葉につき、「そのような様子である」と言いたいときに使われる。やや古い言い方。目上の人の様子を言うときにはあまり使わない。　2）「いかにも・さも」などの言葉といっしょに使うことが多い。ほかに「意味ありげ・苦しげ・はずかしげ・不安げ・懐かしげ」などの例がある。

Ⅱ・4　～ともなく・～ともなしに【特にそうしようというつもりでなく】

①祖父は何を見るともなく窓の外を眺めている。
②カーラジオを聞くともなしに聞いていたら、とつぜん飛行機墜落のニュースが耳に入

ってきた。

③夜、考えるともなしに会社でのことを考えていたら、課長に大切な伝言があったことを思い出した。

④彼はいつからともなく、みんなに帝王と呼ばれるようになった。

⑤彼は置き手紙をすると、どこへともなく去っていった。

🔗 Vる ＋ともなく

▶「特に目的や意図がなく、ある行為をする」と言いたいときに使う。「～ともなく」の前後には同じ意味の動作性の動詞（見る・言う・聴く・考える、など）が来る。「なんとなく～していたら、こんな意外なことが起こった」と言いたいときによく使われる。④⑤のように疑問詞とともに使った慣用的な使い方もある。

Ⅱ・5　～ながら（に）・～ながらの【～の状態のまま】①

①戦火を逃れてきた人々は涙ながらそれぞれの恐ろしい体験を語った。

②彼には生まれながらに備わっている品格があった。

③20年ぶりに昔ながらの校舎や校庭を見て懐かしかった。

④モーツァルトは生まれながらにして音楽の天才であった。

🔗 N ＋ながら（に）

▶～のまま変化しない状態を表す。慣用的表現が多い。　　　　→ 18課2「～ながら」

Ⅱ・6　～んばかりに・～んばかりの・～んばかりだ
【ほとんど～しそうな様子で】①

①彼女に泣かんばかりに頼まれたので、仕事を代わってあげることにした。

②あの男は今にも殴りかからんばかりに警官に文句を言っている。何があったのだろう。

③演奏が終わると、会場の人たちから割れんばかりの拍手が起こった。

④彼の言い方は、まるでぼくの方が悪いと言わんばかりだ。

🔗 V~~ない~~ ＋んばかりに（「する」は「せんばかりに」）

▶ある行為の様子が「ほとんど～しそうだ」というときの言い方。

練習 23　傾向・状態・様子

A　どちらが正しいですか。正しい方の記号を○で囲みなさい。

1. 最近、
　　a　わたしはテレビを見がちだ。
　　b　仕事が忙しくて、疲れ気味だ。

2. 彼の話がとても愉快なので、
　　a　みんなおなかが痛くなるくらい笑った。
　　b　みんなおなかが痛いかのように笑った。

3.
　　a　だれでも困っている人を見ると、助けたくなるきらいがある。
　　b　だれでも面倒な仕事は後回しにするきらいがある。

4. タンカーの事故で油が流れ出して、
　　a　海が油まみれになってしまった。
　　b　海の鳥たちが油まみれになってしまった。

5.
　　a　見るともなくテレビを見ていたら、懐かしい歌が流れてきた。
　　b　スーパーで野菜を買うともなく買っていたら、昔の友だちに声をかけられた。

6. 子どもが
　　a　泣き出さんばかりの顔で帰ってきた。
　　b　泣き出すようにして帰ってきた。

B　□の中の言葉を使って、次の文を完成させなさい。1つの言葉は1回しか使いません。

```
a　かのよう　　b　っぽい　　c　がち　　d　だらけ
e　気味
```

(会社で)

よう子「あら、どうしたの。気分が悪そうね」

ひろし「うん、ちょっと熱1＿＿＿んだ。きのうからちょっとかぜ2＿＿＿でね。のども痛いし……」

よう子「そう。きのうは何事もない3＿＿＿な顔して会議に出ていたから、気がつかな

23 傾向・状態・様子

かったわ」

ひろし「ちょっと無理していたんだ。仕事が遅れると、どうしても無理をし4_____になるね」

よう子「そうね……なあに、何か探しているの」

ひろし「うん、机の上が紙くず5_____だから、ちょっと片づけてるんだ……。あ！あった。昨日探してたかぜ薬がこんなところにあった」

C □ の中の言葉を使って、次の文を完成させなさい。1つの言葉は1回しか使いません。

a	かのように	b	ようにして	c	っぽい
d	気味	e	ともなく	f	ながら
g	ずくめ	h	きらいがある	i	まみれ

わたしは飽き1_____ので、勉強を始めても長くは続けられない。成績は下がり2_____だ。姉はわたしをばかにする3_____、「あなたって生まれ4_____の遊び人間ね」と言う。姉はどうも妹に厳しすぎる5_____。確かに子どものころは毎日汗6_____になって外で遊んだ。毎日楽しいこと7_____だった。が、今は学校が終わると飛ぶ8_____家に帰り、勉強を始めるのだ。そんなことを考える9_____考えていたら、また眠くなってしまった。

24 経過・結末

Process／Conclusion
经过，结果
경과/결말

どのような過程を通ってそうなったか、どのような結果になったかを言いたいときは、どんな言い方がありますか。

知っていますか

a　ということだ　b　ことになる　c　きり　d　あげく　e　ところだった

1. 会社をやめるかどうか、いろいろ迷った＿＿＿＿、やはりやめることにした。
2. 先週の火曜から外食しているから、今日でもう1週間も外食している＿＿＿＿。
3. 「高校のサッカーの決勝戦は引き分けらしいよ」
   「ということは、つまり両校優勝＿＿＿＿ね」
4. 前のバスが行った＿＿＿＿、30分もたつのにまだ次のバスが来ない。
5. 駐車するとき、あわてていたので、もう少しでとなりの車にぶつける＿＿＿＿。

使えますか

1. 就職について両親に相談したところ、
   - a　大阪の会社に決めた。
   - b　自分で決めろと言われた。
2. わたしたちは
   - a　3時に出発したいことになっている。
   - b　3時に出発することになっている。
3.
   - a　なんでも最後までやりぬくことが大切だ。
   - b　このくつははきぬいたから、新しいのを買おう。
4.
   - a　一生懸命がんばったので、後で満足するところでした。
   - b　一生懸命がんばらなければ、かならず後で後悔することになりますよ。
5.
   - a　何度も教員試験を受けた末に、ついに合格した。
   - b　今年の教員試験を受けた末に、幸運にも合格した。

答えは次のページにあります。

24 経過・結末

I 経過　どのような過程を通って、そうなったかを言いたいとき

3
1　～たところ

2
2　～あげく（に）・～あげくの
3　～末（に）・～末の
4　～きり・～きりだ

1
5　～に至って（は）

I・1　～たところ【～したら／～した結果】 **3**

①レポートのテーマについて先輩に相談してみたところ、先輩はいろいろアドバイスをくれた。

②久しぶりに先生のお宅をお訪ねしたところ、先生はお留守だった。

③明日はハイキングなので、天気はどうかと思ってパソコンで調べてみたところ、一日中晴れのようだった。

④田中さんならわかるだろうと思って聞いてみたところが、彼にもわからないということだった。

○○　Ｖた　＋ところ

▶ 1)「～したら、こんな状況だった」「～した結果、こんなことがわかった」などと説明するときに使う。　2)④の「～たところが」は、「～したが、しかし…」という気持ちが加わる。　3)後の文にはたまたまそうなった結果を言うので、話す人の意志を表す文は来ない。

　　×両親と相談したところ、オーストラリアへの留学を決めた。
　　○両親と相談したところ、オーストラリアへの留学に賛成してくれた。

I・2　～あげく（に）・～あげくの【いろいろ～した後、とうとう最後に】 **2**

①人気バンドのCDを買おうと3時間も並んだあげく、結局買えなかった。

②太郎はお金のことや友人の問題でさんざん親に心配をかけたあげく、とうとう家を出てしまった。

? 1. d 2. b 3. a 4. c 5. e　　! 1. b 2. b 3. a 4. b 5. a

193

③この問題については、長時間にわたる議論のあげく、とうとう結論は出なかった。
④あのときは山でさんざん道に迷ったあげくの果てに大雨にも降られて、本当にこわかった。

○○○　Ｖた／する動詞のＮの　＋あげく（に）

▶ 1）「いろいろ～した後で、とうとう残念な結果になった」と言いたいときに使う。　2）1回だけのことや軽いことには使わず、「いろいろ・さんざん・長い時間」など、強調する言葉とよくいっしょに使う。

　　　×あの時、社長とけんかしたあげくに、会社をやめた。

3）④の「あげくの果てに」は慣用表現。

Ⅰ・3　～末（に）・～末の 【～いろいろした後、最後に】 2

①帰国するというのは、さんざん迷った末に決めたことです。
②家族が父の任地の大阪へ移らないというのは、家族でよく話し合った末の結論です。
③試合はＡチームとＢチームの激しい戦いの末、Ａチームが勝った。
④委員会は５時間に及ぶ討議の末に、来年度の主な活動計画を取り決めた。

○○○　Ｖた／Ｎの　＋末（に）

▶ 1）「いろいろ～した後で、こういう結果になった」と言いたいときに使う。　2）「いろいろ・さんざん・長い時間」など、強調する言葉とよくいっしょに使う。　3）Ⅰ・2「～あげく（に）」と違って、プラスのこと、マイナスのことのどちらにも使う。

Ⅰ・4　～きり・～きりだ 【～して、そのままずっと】 2

①子どもが昼、出かけたきり、夜の８時になっても帰ってこないので心配です。
②佐藤さんは１０年前にスイスへ行ったきり、そのままスイスに定住してしまったらしい。
③「課長は？」
「具合がよくないから病院へ行くと言って出たきりなんです。心配ですね」

○○○　Ｖた　＋きり

▶ 多くの場合、「Ｖたきり、～ない」の形で、後には次に予想されることが起こらない状態が続いて

24 経過・結末

いるという文が来る。

Ⅰ・5 〜に至って（は）【〜という重大な事態になって】 ❶

① 39度の熱が3日も続くという事態に至って、彼はやっと医者へ行く気になった。
② 関係者は子どもが自殺するに至ってはじめて事の重大さを知った。
③ 学校へほとんど行かずにアルバイトばかりしていた彼だが、いよいよ留年という状況に至っては親に本当のことを言わざるを得なかった。

🔗 Ｖる／Ｎ ＋に至って（は）

▶「〜という重大な事態になって」という意味を表す。後の文で「やっと・ようやく・はじめて」などの言葉といっしょに使って「どうなったか」を言う。

Ⅱ 結末　どのような結果になったかを言いたいとき

❸	❷	❶
1　〜わけだ	6　〜ぬく	11　〜に至る
2　〜きる・〜きれる	7　〜ところだった	12　〜しまつだ
3　〜ことになる	8　〜っぱなし	
4　〜ということだ	9　〜ずじまい	
5　〜ことになっている・〜こととなっている	10　〜次第だ	

Ⅱ・1 〜わけだ ❸

① 30ページの宿題だから、1日に3ページずつやれば10日で終わるわけです。
② 夜型の人間が増えてきたために、コンビニエンスストアがこれほど広がったわけです。
③ このスケジュール表を見ると、東京に帰って来るのは水曜日の午前中のわけだ。
④「きのうの会、来なかったんですね」
「会があると知らなかったから行かなかったわけで、知っていたらもちろん行きましたよ」

◎◎ 普通形（ナAな・ナAである／Nの・Nである）＋わけだ

▶ ある事実や状況から、「当然〜の結論になる」と言いたいときに使う。「こういう事実があるから」とか「こういう状況だから」と、前に理由の言い方が来ることが多い。

Ⅱ・2　〜きる・〜きれる【全部〜する／全部〜できる】

① 5巻もある長い小説を夏休み中に全部読みきった。
② 慎重な彼が「絶対にやれる」と言いきったのだから、相当の自信があるのだろう。
③ 井上さんは年を取った両親と入院中の奥さんを抱え、困りきっているらしい。
④ あの商品は人気があるらしく、発売と同時に売りきれてしまった。
⑤ わたしが休みに家へ帰ると、母はいつも食べきれないほどのごちそうを作ってくれる。
⑥ あの子の複雑な思いは、きっと親でも理解しきれないだろう。

◎◎ V-~~ます~~ ＋きる

▶ 1）「Vきる」の形で、動詞に「全部〜する／最後まで〜する」（①）、「強く〜する」（②）、「非常に〜する」（③）などの意味を加える。　2）「Vきれる・Vきれない」の形で、動詞に「全部〜できる／できない」（④⑤）、「完全に〜できる／できない」（⑥）などの意味を加える。

Ⅱ・3　〜ことになる【つまり、そうなる】

① この事故による負傷者は、女性3人、男性4人の合わせて7人ということになる。
② 11時の新幹線だと、13時からの大阪の会議に間に合わないことになる。ここから大阪まで、3時間はかかるから。
③ 今、遊んでばかりいると、試験の前になって悔やむことになるよ。
④ あの人にお金を貸すと、結局返してもらえないことになるので貸したくない。

◎◎ Vの普通形　＋ことになる

▶ 1）「ある事情や状況から考えて、当然そうなる」と言いたいときに使う。　2）①②は1「〜わけだ」とほとんど同じ意味。③④は、好ましくない結果になることを警告したりする使い方。

Ⅱ・4　〜ということだ【つまり〜だ】

① 山田さんはまだ来ていませんか。つまり、また遅刻ということですね。

②チケットはすべて当日券です。つまり早めに来ていただいた方がいいということです。
③係の人「明日は特別の行事のため、この駐車場は臨時に駐車禁止になります」

　客　　「ということは、つまり車では来るなということですね」

◯◯ ▶ 2）参照

▶ 1）ある事実を受けて、そこから「つまり～だ」と結論を引き出したり、それについてどう考えるかを述べたりする言い方。③は相手の言ったことを受けて相手に確かめたりする言い方。　2）接続は基本的には普通形につくが、話す人がたまたま述べることにつくので、さまざまな形に続く。

→ 26課Ⅰ・1「～ということだ・～とのことだ」

Ⅱ・5　～ことになっている・～こととなっている
【～という決まり（予定・習慣など）になっている】

①会社では社員は1年に1回健康診断を受けることになっています。
②うちの子の小学校では、親の住所録を学校外に出さないことになっている。
③午後の分科会は2時からということとなっておりますので、1時50分までにお集まりください。
④うちの会社ではお客様に会うとき以外は、スーツを着なくてもいいことになっている。

◯◯　Ｖる・Ｖない　＋ことになっている

▶ 1）「さまざまな規則・習慣・予定などにより、そうすること、またはそうしないことが決まりになっている」という意味。改まった言い方として「こととなっている」とも言う。　2）規則を述べる言い方として、「～してもいい・～しなくてもいい・～してはいけない・～しなければならない」などとよくいっしょに使う。

Ⅱ・6　～ぬく【最後まで～する】

①マラソンの精神というのは、優勝できなくても最後まで走りぬくことだ。
②彼は10年間も続いた内戦の時代をなんとか生きぬいて、今幸せに暮らしている。
③わたしは親としてあの子の長所も欠点も知りぬいているつもりです。
④いなかでの1人暮らしを望む祖母を残して東京に来たのは、家族で考えぬいて出した結論です。

○○ Vま~~す~~ ＋ぬく

▶「Vぬく」の形で、その動詞に「困難なことを乗り越えて最後まで完全に～し終える」（①②）、「完全に～する」（③）、「徹底的に～する」（④）などの意味を加える。

Ⅱ・7　～ところだった 【もう少しで～のような結果になりそうだった】 ②

①考えごとをしながら歩いていたので、横道から出て来た自転車に危なくぶつかるところだった。

②切符売り場に来るのがもう少し遅かったら、映画の予約券が買えないところだった。

③200ｍの平泳ぎの競泳でもう少しで1位になるところだったのに、タッチの差で2位だった。

○○ Vる・Vない　＋ところだった

▶「～のような結果になりそうだったが、実際にはならずにすんだ、またはならなくて残念だ」などと言いたいときに使う。悪い結果になる直前だったことを強調したいときは、「もう少しで」「危なく（危うく）」などの副詞とよくいっしょに使う。

Ⅱ・8　～っぱなし 【～したままだ】 ②

①道具が出しっぱなしだよ。使ったら片づけなさい。

②あのメーカーは売りっぱなしではなく、アフターケアがしっかりしている。

③この仕事は立ちっぱなしのことが多いので、疲れる。

④「また負けたね」

　「あのチームはシーズンが始まってから負けっぱなしだね」

○○ Vま~~す~~ ＋っぱなし

▶1）「～したままで、後の当然しなければならないことをしないでいる」という意味である。

2）③④は、「その状態がずっと続いている」ことにポイントがある。　3）マイナスの評価に使われることが多い。

Ⅱ・9　～ずじまい 【～しないで終わる】 ②

①あの本はいろいろな友だちにすすめられたんですが、なんとなく気が進まず結局読ま

24 経過・結末

ずじまいでした。

② そろそろ昼食を、と思っていたら来客があり、そのうちにミーティングが始まり、結局昼食は取らずじまいだった。

③ その件については、いろいろな人に聞いて回ったが、結局真相はわからずじまいだった。

④ あの映画も終わってしまいました。見たいと思っても、忙しくて見ずじまいのことが多いんですよ。

○○ Vない+ず +じまい　例外　しない→せずじまい

▶ 1)「心理的・時間的・物理的などの理由で、行為や状況が実現しないで終わってしまった」という意味。やや口語的表現。　2)「結局・とうとう」などの言葉とよくいっしょに使う。

Ⅱ・10　〜次第だ【〜わけだ】❷

① 次回の会へのご出欠につきご都合をうかがいたく、ご連絡を差し上げました次第です。

② 客「品物が届かなかったのはそちらの手違いだというんですね」
　店員「はい、まことに申し訳ございませんが、そういう次第でございます」

③ 以上のような次第で、来週の工場見学は中止とさせていただきます。

○○ 普通形（ナAである／Nである）+次第だ

▶ 理由や事情を説明して、「それで〜という結果になった」と言いたいときに使う。Ⅱ・1「〜わけだ」より改まった言い方。　→13課5「〜次第で・〜次第だ」

Ⅱ・11　〜に至る【〜までになる】❶

① 被害は次第に広範囲に広がり、ついに死者30人を出すに至った。

② 社長以下5人で始めたその部品会社は、10年のうちに日本一の部品メーカーにまで成長するに至った。

③ 工場閉鎖に至ったその責任は、だれにあるのか。

○○ Vる／N +に至る

▶ 1)「いろいろなことが続いた後、ついにこうなった」と言いたいときに使う。　2)後の文では「ついに・とうとう」などの言葉とよくいっしょに使う。

II・12 ～しまつだ 【～という悪い結末だ】

① あの子は乱暴で本当に困る。学校のガラスを割ったり、いすを壊したり、とうとうきのうは友だちとけんかして、けがをさせてしまうしまつだ。

② きのうはいやな日だった。会社では社長に注意されるし、夜は友人とけんかしてしまうし、最後は帰りの電車の中にかばんをわすれてきてしまうしまつだった。

③ 君はきのうもまた打ち合わせの時間に遅れたそうじゃないか。そんなしまつじゃ人に信用されないよ。

○○○　Vる ＋しまつだ

▶ 1）「悪いことを経て、とうとう最後にもっと悪い結果になった」とその経緯を言うときに使う。

2）「とうとう・最後は」などの言葉とよくいっしょに使う。

練習 24 経過・結末

A □ の中の言葉を使って、次の文を完成させなさい。1つの言葉は1回しか使いません。

a きって	b ことになっています	c わけです
d ところ	e ことになります	f ということです

1. 売り場に問い合わせてみた＿＿＿、その切符はもう売り切れということだった。
2. よう子は職場の人間関係の難しさに困り＿＿＿、先輩に相談した。
3. 今日中に資料を提出しないと、来週の国際会議までに印刷が間に合わない＿＿＿。
4. 新入社員は入社後、4週間の研修を受ける＿＿＿。
5. 父が古典文学、兄が英文学の研究者なので、わたしも文学に興味をもった＿＿＿。
6. 出版社の人「この本は秋の初めごろには出版したいのです」
　　著者　　　「つまり原稿を6月には出してほしい＿＿＿ね」

24 経過・結末

B □の中の言葉と、（　）の中の言葉をいっしょに使って、文を完成させなさい。1つの言葉は1回しか使いません。

```
a  きれない     b  っぱなし    c  末に
d  ずじまい     e  ところ      f  ことになっている
g  わけです
```

山本「えー、実は南君が横浜事務所に移りたいという希望を会社に1（出す）＿＿＿＿＿＿＿＿＿＿＿＿＿＿、認められましたので、今日は送別会というか、いっしょに食事をしようと2（いう）＿＿＿＿＿＿＿＿＿＿＿＿＿＿＿＿＿」

大田「南君がここをやめるなんて知らなかったなあ」

南　「ええ、さんざん3（考える）＿＿＿＿＿＿＿＿＿＿＿＿＿＿出した結論なんです」

大田「でも、せっかく慣れたのに、どうして？」

南　「家が横浜だし、子どもも小さいので、4（通う）＿＿＿＿＿＿＿＿＿＿＿＿んですよ」

山本「担当の仕事の引き継ぎはうまくいっているの？」

南　「大丈夫ですよ。仕事を5（やる）＿＿＿＿＿＿＿＿＿＿＿＿＿＿でやめるなんていうことはしませんから」

大田「いっしょに山に行こうって言っていたのに、とうとう6（行く）＿＿＿＿＿＿＿＿＿＿＿＿だったなあ」

南　「横浜にいるんですよ。いつでも行けますよ」

前川「実は、わたしも来年には横浜に7（移る）＿＿＿＿＿＿＿＿＿＿＿＿＿＿んですよ」

南　「そうですか。それはよろしくお願いします」

201

C ☐の中の言葉を使って、次の文を完成させなさい。1つの言葉は1回しか使いません。

a　ところだった	b　きり	c　っぱなし
d　に至って	e　あげく	f　しまつだ

1. 彼は夏ごろ1度手紙をくれた＿＿＿＿、その後何も言って来ません。
2. 友だちに教えてもらったお菓子の店を探して、さんざん浅草の町を歩き回った＿＿＿＿、とうとう見つけられずに帰ってきた。
3. 入り口にずっと置き＿＿＿＿のかさは、だれのでしょうね。
4. けさ、人に押されてもう少しで電車とホームの間に落ちる＿＿＿＿。
5. 子どもたちが授業をボイコットする＿＿＿＿、先生たちはようやく子どもたちの言い分に耳を傾けるようになった。
6. A選手は今日の試合で、自分のミスで点を入れられるし、動きも悪いし、最後には反則で退場させられる＿＿＿＿。彼は本当に調子が悪い。

25 否定・部分否定

Negatives / Partial Negatives
否定，部分否定
부정 / 부분부정

ものごとを打ち消したいときは、どんな言い方がありますか。

知っていますか

a　はずがない　b　とは限らない　c　ことなく　d　こともない

e　どころじゃない

1．こんな不正確な仕事のやり方では、課長のOKが出る＿＿＿＿。
2．今週はカラオケに行く約束だけど、忙しくてカラオケ＿＿＿＿。
3．彼らは途中で休む＿＿＿＿、目的地まで歩き続けた。
4．希望者が多いので、申し込んでもみんな参加できる＿＿＿＿。
5．「先日の仕事の話、無理をすればやれない＿＿＿＿んですが……」
　　「そうですか。それではお願いします」

使えますか

1．大阪から3時間はかかるから、
　　a　2時に着くわけがない。
　　b　2時に着くどころじゃない。

2．昼食を食べることは食べましたが、
　　a　サンドイッチ1つだけなんです。
　　b　まだおなかがいっぱいです。

3．品物は、安ければかならず
　　a　売れるはずがない。
　　b　売れるというものではない。

4．大学院に行くことを決めたことは決めたんだけど、
　　a　自信がない。
　　b　自信がある。

5．あんな映画がおもしろいものか。ぼくは
　　a　3回も見た。
　　b　途中で見るのをやめた。

答えは次のページにあります。

I 否定　ものごとを打ち消すとき

```
3                    2                              1
1 ～はずがない        3 ～ことなく                    7 ～なしに・
2 ～わけがない        4 ～もしない                       ～ことなしに
                    5 ～どころではなく・～どころではない  8 ～までもなく・
                    6 ～ものか                         ～までもない
```

I・1　～はずがない　[～という可能性がない]

①「王さん、遅いですね。どうしたんでしょう」

「王さんは来られるはずがないよ。今日は大切な会議があると言っていたから」

②「けさ、品川駅で佐藤さんを見ましたよ」

「そんなはずはありません。佐藤さんは今アイルランドを旅行していますよ」

③チンさんは生の魚は食べないから、さしみが好きだと言うはずがありません。

④「え、さっき見た写真がない？　そんなはずない。机の上に返しておいたよ」

「あ、あった、あった、ごめんなさい」

○○○ 普通形（ナＡな・ナＡである／Ｎの・Ｎである）＋はずがない

▶ 1）ある事実をもとに「その可能性がない」と言うときに使う。話す人の主観的な判断を表す。話し言葉では④のように「～はずない」とも言う。　2）I・2「～わけがない」で言うこともできる。

I・2　～わけがない　[当然～ない]

①昔の日本のことを聞いても、外国人の彼が知っているわけがないじゃないか。

②こんな小説をあの人が読むわけがない。あの人は雑誌やマンガしか読まないんだから。

③こんなに気温が低くて雨が多い夏だから、秋においしい果物がとれるわけがない。

④「大山さん、暇かな。テニスに誘ってみようかな」

「彼女は今、就職活動中だから、暇なわけないよ」

---

1. a　2. e　3. c　4. b　5. d　　　1. a　2. a　3. b　4. a　5. b

25 否定・部分否定

○○ 普通形（ナＡな・ナＡである／Ｎの・Ｎである）　＋わけがない

▶ １）ある事実をもとに、そのことが成立する理由・可能性がないと強く言うときに使う。話す人の主張や主観的な判断を表す。話し言葉では④のように、「～わけない」とも言う。　２）Ⅰ・１「～はずがない」に置きかえることができる。

Ⅰ・３　～ことなく【～ないで】

①花子さんの部屋から芝居の練習をする声が、夕方まで途切れることなく、聞こえていた。
②彼は夏休みも帰国することなく、研究を続けた。
③林さんはだれにも相談することなく、学校をやめてしまった。
④犯人は人に怪しまれることなく、その家の庭に入ることができた。

○○ Ｖる　＋ことなく

▶ １）「普通は～する、または～してしまうが、この場合は～しないで」という意味を表す。
　２）硬い言葉なので、日常的なことにはあまり使わない。

　　×今日は、さとうを入れることなくコーヒーを飲みたい。

Ⅰ・４　～もしない【全然～しない】

①わたしが出した手紙を、彼は開きもしないで捨ててしまったそうだ。
②わたしが作った音楽のＣＤを聞きもしないで、いろいろ言わないでください。
③食事の時間だと声をかけたが、兄は立ち上がりもしない。疲れているのだろう。
④よく調べもしないで、簡単に結論を出さないでください。

○○ Ｖます　＋もしない

▶「最低の～さえしない・全く～しない」と不満の気持ちを持って言うときの言い方。

Ⅰ・５　～どころではなく・～どころではない【～はとてもできない】

①はじめて九州へ来たのに、見物どころではなく夜遅くまで会議だ。
②「高橋さん、来週の金曜日、サッカーの試合のチケットがあるんだけど、行きませんか」
　「すみません。わたし、今忙しくてサッカーを見に行くどころではないんです」

205

③結婚したころはお金がなくて、お祝いをするどころじゃなかった。

🔗　Ｖる／Ｎ　＋どころではなく

▶「～のようなことをする余裕はない」と強く否定する言い方。

Ⅰ・6　～ものか【決して～ない】

①「展覧会、どうだった」

「あんな人の多いところへ２度と行くものか。作品はぜんぜん見えなくて、人の頭ばかりだったよ」

②寮の食事ではじめて納豆が出たときには「こんなものが食べられるものか」と思った。

③「田中さんって、正直な人ですね」

「田中さんが正直なもんか。田中さんの言うことはうそばかりだ」

🔗　普通形（ナＡな／Ｎな）　＋ものか

▶１）話者の強い否定の気持ちを表す言い方で、反語を使った少し感情的な言い方。　２）「ぜったいに・けっして」などとともに使うことが多い。③の「～もんか」はくだけた言い方。

Ⅰ・7　～なしに・～ことなしに【～ないで／～なく】

①２時から４時までは取材ですから、事前の断りなしに、呼び出しをしないでください。

②わたしたちは３時間、休憩することなしに会議を続けた。

③厚い本なのにあまりにおもしろくて、中断することなしに終わりまで読んでしまった。

🔗　Ｎ＋なしに

　　Ｖる＋ことなしに

▶「～なしに…」の形で、動作を表す言葉について「普通は～するが、この場合は～しないで」という意味を表す。

Ⅰ・8　～までもなく・～までもない【～しなくてもいい】

①簡単な計算だから、電卓を使うまでもない。

②詳しい説明がここに書いてあるから、わざわざ店員さんの話を聞くまでもなく、読めばわかる。

③中村さんはアメリカへ転勤になったそうだ。林さんが本人から直接聞いたのだから、確かめるまでもないだろう。

④熱もないんだから、わざわざ病院に行くまでのこともない。１日休めば治るだろう。

○○ Ｖる ＋までもなく

▶「それほどのことをする必要はない」という判断を言いたいときの表現。④のような慣用的表現もある。

Ⅱ　部分否定　部分的に打ち消したり、消極的に肯定したりしたいとき

3		2		1
1　～ことは～が	4　～ないことはない・	6　～ないものでもない・
2　～とは限らない	～ないこともない	～ないでもない・
3　～わけではない	5　～というものではない	～なくもない

Ⅱ・１　～ことは～が【一応～だが、しかし】

①この漢字は意味がわかることはわかるんですが、使い方がよくわからないんです。

②きのう林さんのうちへ行くことは行ったが、留守で会えなかった。

③今の部屋は便利なことは便利だが、狭い。

④西さんと同じ部屋だと、楽しいことは楽しいけど、勉強ができないんです。

○○ 普通形（ナＡな／Ｎな）　＋ことは～が

▶１）「～ことは～が」の形で、「ことは」の前後に同じ「～」を繰り返して使い、「～はいちおう事実なのだが、そのことにあまり意味はない・不満がある」と言いたいときの表現。　２）過去のことを言う場合には②のように前後の形が違うこともある（行く・行った）。

Ⅱ・２　～とは限らない【～ということがいつも本当だとは言えない】

①テレビの天気予報がいつも当たるとは限らない。

②話題になっているからといって、その本がおもしろいとは限らない。

③テレビで報道されることがいつも真実（だ）とは限らない。
④事故が起きないとは限らないから、高い山に登るときはしっかり準備をした方がいい。

🔗 普通形 ＋とはかぎらない

▶ 1)「～がかならず本当であるとは言えない、例外もある」という意味。　2)「いつも・全部・だれでも・かならずしも」などの副詞とともによく使われる。また、②のように、「～からといって」（18課7）とともに使われることも多い。

Ⅱ・3　～わけではない【全部が～とは言えない／かならず～とは言えない】

①鈴木さんは高校生時代に勉強ばかりしていたわけではない。よくクラブ活動もしていた。
②離婚をしたいという、あなたの今の気持ちがわからないわけではありません。
③新聞によると、インフルエンザの予防接種をみんなが受けられるわけではないようだ。
④今日の会に出席したいわけではないんだけど、頼まれたから行くんです。

🔗 普通形（ナＡな・ナＡである／Ｎの・Ｎである）　＋わけではない

▶ 1)「～」の事柄を部分的に否定する言い方。　2)②の「～ないわけではない」は部分的に肯定する言い方。④のように「特に～のではないが」と説明するときにも使う。

Ⅱ・4　～ないことはない・～ないこともない【～と言える】

①「だれかあしたテニスをしないかなあ」
　「うーん、林さんならテニスが好きだから、しないこともないんじゃない」
②今から走って行けば9時20分の電車に間に合わないこともない。
③「課長、今、お忙しいですか」
　「忙しくないこともないけど、どんな用事ですか」
④祖父は携帯電話がきらいだと言っていた。しかし、最近は「便利でないこともないな」と言うようになった。

🔗 Ｖない／イＡくない／ナＡでない／Ｎでない　＋ことはない

▶「～という可能性がある」または「～のように言える面もある」という意味を表す。二重否定を使って消極的に肯定する言い方、または、断定を避ける言い方である。

Ⅱ・5 〜というものではない【〜とは言えない】 ❷

①スポーツはただ練習すればできるようになるというものではない。効果的な練習のやり方が大切だ。

②会議では何を言うかが大切だ。ただ出席していれば済むというものではない。

③車はスピードが出ればいいというものではない。何より安全が大切だ。

④お客様に対する話しかたはていねいであればいいというものでもありません。

◯◯◯　普通形　＋というものではない

▶ 1）「いつも・かならず〜とは言えない」と言いたいときの表現。「ある主張や考えがいつも・かならず正しいとは言えない」という意味を表す。消極的にある主張や考えを否定するときに使う。

2）③のように「〜ばいいというものではない」という形でよく使う。

Ⅱ・6 〜ないものでもない・〜ないでもない・〜なくもない
【全く〜ないのではない】❶

①「高橋先生、お酒はお飲みにならないんですか」

「いいえ、飲まないでもないんですが、とても弱いんです」

②今度の仕事、うまくいきそうな気がしないでもない。

③引退する選手「正直に言うと、今やめるのは残念だ、という気持ちがなくもないんです」

◯◯◯　Ｖない　＋ものでもない

　　　Ｖなく／イＡくなく／ナＡでなく／Ｎでなく　＋もない

▶ 1）「〜という可能性がある」または「〜のように言える面もある」という意味を表す。二重否定を使って消極的に肯定したり、断定を避けたりする言い方である。　2）Ⅱ・4「〜ないことはない」と同じように使うが、「〜ないものでもない・〜ないでもない・〜なくもない」は個人的な判断・推量・好き嫌いなどについて使われることが多い。

練習 25　否定・部分否定

A □の中の言葉を使って、次の文を完成させなさい。1つの言葉は1回しか使いません。

```
a  わけがない     b  ことは     c  わけではない
d  とは限らない
```

夫「この小説、読んだ1＿＿＿＿読んだんだけど、よく理解できなかったよ。あい子、この主人公の気持ち、わかる？」

妻「わたしにわかる2＿＿＿＿でしょ。主人公は老人よ」

夫「でも、あい子はこの作家がすきなんだろう？　よく読んでいるよね」

妻「特にすきな3＿＿＿＿のよ。それに、すきだからって、必ずしも主人公の心理がわかる4＿＿＿＿でしょう」

```
a  ことなく      b  どころではない    c  ものか
d  ことはない    e  というものではない
f  までもない    g  ものでもない
```

先輩「あれ、今年は花見には行かないのか」

後輩「ええ、実は今、花見5＿＿＿＿んです。運送会社でアルバイトをしているんです」

先輩「へえー。仕事、きついだろう」

後輩「ええ、きつくない6＿＿＿＿んですが、まあ、アルバイト料は高いですから。1日も休む7＿＿＿＿2週間がんばれば、かなりの額になるんですよ」

先輩「去年、重い荷物を山に運ぶアルバイトをしたんだけど、もう2度とあんなきつい仕事はやる8＿＿＿＿と思ったよ。でも、この仕事ならぼくにもやれない9＿＿＿＿なあ」

210

後輩「でも、言う10＿＿＿ことですけど、ただ運べばいい11＿＿＿んですよ。決まった時間までに確実に届けることが大切なんです」

B ☐の中の言葉を使って、＿＿＿の部分を言い換えなさい。1つの言葉は1回しか使いません。

| a はずがない | b どころではない | c 限らない |
| d わけではない | e までもない | f ないものでもない |

1．リーさんがマラソン大会で入賞する可能性はない。
　　　　　　　　　（　　　　　　　　　）

2．タムさんとリーさん、どちらが速いかわざわざタイムを計る必要はない。はっきりわかっている。　　　　　　　　　　　　（　　　　　　　　　）

3．といっても、タムさんが特に速いのではない。
　　　　　　　　　（　　　　　　　　　）

4．体調がいつもいいとは言えないからである。
　　　　　　　　　（　　　　　　　　　）

5．ぼくは今、忙しいのでマラソンの余裕はないが、いつか2人に強く誘われれば、
　　　　　　　　　（　　　　　　　　　）
マラソン大会に絶対出ないとは言えない。
　　　　　　　　　（　　　　　　　　　）

26 伝聞・推量

Conveying Information／Expressing Certainty and Uncertainty
传闻，推测
전문／추량

聞いたり読んだりしたことを伝えるときや、確かでないことについて自分がどう考えているかを言いたいときは、どんな言い方がありますか。

知っていますか

a ということだ　b とみえる　c ではあるまいか　d かねない
e まい

1. 準備体操をせずにはげしいスポーツをしたら、けがをし_____。
2. これ以上森林の木を切り続けると、地球上から多くの動物がいなくなってしまうの_____。
3. 石井君は最近、元気だね。今回の成功でだいぶ自信をつけた_____。
4. テレビの長期予報によると、今年の冬は平年より暖かい_____。
5. 選手の強化を図らないと、オリンピック出場などとても期待でき_____。

使えますか

1. そちらでは地震の被害は
   - a ほとんどなかったとのこと、よかったですね。
   - b ほとんどなかったそうです。よかったですね。

2. - a 今日は水曜日に違いないから、
   - b 今日は水曜日だから、

   ごみを出そう。

3. - a 彼はニコニコしているとみえて、何かいいことがあったらしい。
   - b 彼は何かいいことがあったとみえて、ニコニコしている。

4. 娘「この不景気だから、
   - a お姉さんの就職はむずかしいのではあるまいか」
   - b お姉さんの就職はむずかしいんじゃないかしら」

   母「そうねえ。むずかしいかもしれないわねえ」

5. この薬を飲むと、
   - a 運転中に眠くなりかねない。
   - b 病気が治りかねない。

答えは次のページにあります。

26 伝聞・推量

I 伝聞　聞いたり読んだりしたことを伝えるとき

> 3　1　～ということだ・～とのことだ　　2　～とか　　1

I・1　～ということだ・～とのことだ【～そうだ／～と聞いている】

①うちの近くの空き地に何ができるのかと思っていたら、大きなスポーツセンターができる<u>ということだ</u>。

②新聞によると、インフルエンザの患者はこれからも増えるだろう<u>とのことです</u>。

③大統領の来日は来月 10 日<u>とのことだ</u>が、夫人は来日されないそうだ。

④お手紙によると、太郎君も来年はいよいよ社会人になられる<u>とのこと</u>、ご活躍を心から祈っています。（手紙）

⑤妹「お母さんが、荷物が多いから駅まで迎えに来てくれ<u>って</u>」
　兄「うん、わかった」

⑥あらあら、「本日の事務取り扱いは終了しました」<u>だって</u>。5分遅かったね。

▶ 2）参照

▶ 1) 伝聞の言い方。　2) 伝聞の「～そうだ」は普通形だけに続くが、「～ということだ」は直接的な引用という感じが強いので、普通形のほかに推量（②）や命令の形（⑤）なども来る。また、「～ということだった」という過去の形もある。　3) ④のように、「～とのこと」は特に手紙文で「～だそうですが」の意味で使う。　4) ⑤⑥の「～って」は、引用の「と」が変形したもの。「～と言っている」「～と書いてある」などの動詞部分が省略されていると考える。くだけた言い方。

→ 24 課Ⅱ・4「～ということだ」

I・2　～とか【～そうだが／～と聞いたが】

①「テレビで見たんだけど北海道はきのう大雪だった<u>とか</u>」

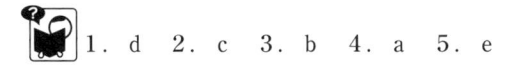

---

1. d　2. c　3. b　4. a　5. e　　　1. a　2. b　3. b　4. b　5. a

213

「そうですか。いよいよ冬ですねえ」

②課長の話では、打ち合わせの資料を２時前には用意してくれとか。間に合うかなあ。

③来年は妹さんが日本へ留学のご予定だとか。楽しみに待っています。（手紙）

◎◎ ▶ ２）参照

▶ １）伝聞の言い方。同じく伝聞の「～そうだ」やⅠ・１「～ということだ」より不確かな気持ちがあったり、はっきり言うことを避けたりするときに使う。ややくだけた言い方。　２）多くの場合は普通形につくが、引用する部分の文末によってそのほかの形につくこともある。

Ⅱ　推量

```
3                        2                        1
1  ～おそれがある          4  ～まい
2  ～に違いない            5  ～ではあるまいか
3  ～とみえて・～とみえる   6  ～かねない
                          7  ～に相違ない
```

Ⅱ・1　～おそれがある 【～という心配がある】

①この薬は副作用のおそれがあるので、医者の指示に従って飲んでください。

②昼ごろ、風雨が強まるおそれがありますので、外出するときはお気をつけください。

③この地震による津波のおそれはありません。

④喫煙は、心臓の病気の危険性を高めるおそれがあります。

◎◎　Ｖの現在形／Ｎの　＋おそれがある

▶ １）「～という悪いことが起こる可能性がある」と言いたいときに使う。　２）ニュースや通知などでよく使われる硬い表現。

Ⅱ・2　～に違いない 【きっと～と思う】

①何度電話してもいない。リンさんは旅行にでも行っているに違いない。

26 伝聞・推量

②駅の前にあんなに人が集まっているよ。何か事件があったに違いない。
③課のみんなが知らないということは、田中さんがちゃんと報告しなかったに違いない。
④あそこに止まっているのは青山さんの車に違いない。青い新車だって言っていたから。

◯◯◯ 普通形（ナA・ナAである／N・Nである）　＋に違いない

▶ 1）「きっと～と思う」という話す人の確信を述べる推量の表現。「たぶん～だろう」より確信の程度が強い。　2）Ⅱ・7「～に相違ない」より口語的。

Ⅱ・3　～とみえて・～とみえる【～らしく／～らしい】

①夜遅く雨が降ったとみえて、庭がぬれている。
②伊藤君は社長に話があるとみえて、さっきから社長室の前を行ったり来たりしている。
③この子は絵が好きだとみえて、暇さえあれば絵をかいている。
④彼の話を聞いたところでは、彼はこの計画に相当意欲をもっているとみえる。

◯◯◯ 普通形　＋とみえて

▶ 1）「～とみえて」の「～」で推量することを言い、後にその根拠を述べる言い方。　2）④は、初めに根拠を言い、後にそこから推量したことを述べる形である。

Ⅱ・4　～まい【～ないだろう】

①この事件は複雑だから、そう簡単には解決するまい。
②この不況は深刻だから、安易な対策では景気の早期回復は望めまい。
③それが唯一の解決策ではあるまい。もっと別の観点から見たらどうか。
④この様子では雨は降るまいと思うけれど、一応かさを持っていったらどうですか。

◯◯◯ Vる　＋まい

　　　（動詞Ⅱ・Ⅲは「V~~ない~~　＋まい」もある。「する」は「すまい」もある）

　　　イAく／ナAでは／Nでは　＋あるまい

▶ 1）話者の「ある事柄がそうはならないだろう」という推量を表す。現代でも使われる古い言い方。
　2）硬い書き言葉的な表現なので、話し言葉で文末に使われることはあまりない。ただし、話し言葉でも、④のように文中の引用部分には現れることがある。　　　　　→29課3「～まい」

Ⅱ・5　〜ではあるまいか【〜ではないだろうか】

①田中さんはそう言うけれども、必ずしもそうとは言いきれないのではあるまいか。
②水不足が続くと、今年も米の生産に影響が出るのではあるまいかと心配だ。
③不況、不況というが、これが普通の状態なのではあるまいか。
④部長が会社をやめたのは、重要な点で社長と意見が合わなかったためではあるまいか。

　　普通形の（ナA・ナAなの／N・Nなの）＋ではあるまいか

▶ 主に「〜のではあるまいか」の形で文末に使い、話者が「〜だろう」という推量を婉曲に言ったり、③④のように、聞き手や読み手に問いかける形で話者の主張を述べたりする言い方。現代でも使われる硬い表現。

Ⅱ・6　〜かねない【〜かもしれない】

①そんな乱暴な運転をしたら事故を起こしかねないよ。
②食事と睡眠だけはきちんととらないと、体を壊しかねません。
③最近のマスコミの過剰な報道は、無関係な人を傷つけることにもなりかねない。
④インフルエンザという病気はわからないことが多いので、政府が対策を誤ると大流行しかねない。

　　Vます＋かねない

▶ 話者が結果や成り行きを心配して、「〜という悪い結果になる可能性や危険性がある」と言いたいときに使う。

Ⅱ・7　〜に相違ない【間違いなく〜と思う】

①不合格品がそれほど出たとは、製品の検査がそうとう厳しいに相違ない。
②彼の言ったことは事実に相違ないだろうとは思うが、一応調べてみる必要がある。
③反対されてすぐ自分の意見を引っ込めたところを見ると、彼女は初めから自分の意見に自信がなかったに相違ない。

　　普通形（ナA・ナAである／N・Nである）＋に相違ない

▶ 1)「間違いなく〜と思う」という話者の確信を述べる推量の表現。「たぶん〜だろう」より確信の

程度が強い。　2）Ⅱ・2「～に違いない」より硬い言い方。

練習 26　伝聞・推量

A　どちらが正しいですか。正しい方の記号を○で囲みなさい。

③

1．「リンさんは今週末には帰国したい ｛ a　ということでしたが、 / b　そうでしたが、｝ 切符が取れず、帰国を延期したそうですよ」

2．最近お体の調子があまりよくない ｛ a　とのこと、 / b　そうで、｝ どうぞご自愛ください。

3．社長、お電話によると、井上さんは3時には見える ｛ a　に違いありません。 / b　とのことです。｝

4．お母さん、あしたは10cmぐらい雪が ｛ a　積もるそうだって。 / b　積もりそうだって。｝ うれしいな、友だちと雪で遊べるね。

5．あしたもいい天気だ ｛ a　とみえて、 / b　とのことで、｝ 西の空が赤い。

②

6．最近の木村さんの暗い顔を見ると、何か大きな問題を抱えているのでいるのでは ｛ a　あるまい / b　あるまいか｝ と気になる。

7．けさ、また電車の信号機のトラブルが ｛ a　あったとか。 / b　ありかねない。｝ 最近、多いね。

8．「佐々木君、このところ練習に来ないね」
「佐々木？　彼はもうこのチームには ｛ a　戻らないんじゃない？ / b　戻らないのではあるまいか｝」

9.「店長、店員にそんな厳しいことを言ったら、すぐ ａ やめかねますよ」
　　　　　　　　　　　　　　　　　　　　　　　　　ｂ やめかねませんよ」

　「だめなことはだめだよ」

B　☐の中の言葉を使って、次の文を完成させなさい。1つの言葉は1回しか使いません。

| a とみえて | b とのこと | c かねない |
| d に違いない | e ということ | |

　4月は新しいことが始まる月だ。部長の話では、わが社も20人の新入社員を迎える1＿＿＿、しばらくは落ち着かない日が続くだろう。古い社員たちも、それなりに緊張している2＿＿＿、いつもとは違った表情だ。だれもが新しい年度がスタートする緊張感と新鮮さを感じている3＿＿＿。話によると、会社も近々、新しいシステムを入れる4＿＿＿だ。ぼくものんびりしていると、若いパワーに追い越され5＿＿＿から、がんばろう。

27 心情の強調・避けられない心情や行動

Emphasizing Feelings / Compulsion
强调某种感情，不得不作的事情或那时的感情
감정의 강조 / 피할 수 없는 심정과 행동

その感じが強い、自然にそう感じる、または、心理的にそうしないことは避けられないということを言いたいときは、どんな言い方がありますか。

知っていますか

a たまらない　b ないわけにはいかない　c ならない
d ずにはいられない　e ざるをえない

1. 会には出席できないが、出席の返事をしてしまったので会費を払わ_____。
2. 電車の中で荷物を持ったお年寄りを見ると、祖母のことを思い出して席を立た_____。
3. この歌を聞くと、この歌をよく歌っていた友のことが思い出されて_____。
4. 今日は朝から歯が痛くて_____。ぜんぜん勉強ができない。
5. 保証人の海外転勤が決まったので、これからはほかの方にお願いせ_____。

使えますか

1. このゲームは { a 楽しくてたまらない。 / b 高くてたまらない。 }
2. タノムさんの冗談には、田中さんも { a 笑わないではいられない。 / b 笑わないではいられないようだ。 }
3. 大切な会議だから { a 出席しないわけにはいかない。 / b 出席するわけにはいかない。 }
4. 田中さんの表情を見ていると、{ a うそをついているように思えてならない。 / b うそをついているように思えてたまらない。 }
5. { a ハナ子は朝から寒気がしてならない。 / b 寒気がしてならない。 } 風邪をひきそうだ。

答えは次のページにあります。

心情の強調・避けられない心情や行動

そのような感じが強い、自然にそう感じるということを言いたいとき

外からの強い力があって、心理的にそうしないことは避けられないと言いたいとき

3	2	1
1　～てしかたがない・～てしょうがない	4　～てならない	7　～てやまない
2　～てたまらない	5　～ないではいられない・～ずにはいられない	8　～かぎりだ
3　～ないわけにはいかない	6　～ざるをえない	9　～といったらない・～といったらありはしない
		10　～ないではすまない・～ずにはすまない
		11　～ないではおかない・～ずにはおかない
		12　～を余儀なくされる・～を余儀なくさせる

1　～てしかたがない・～てしょうがない　【非常に～だ】 3

①結婚10年目でやっと子どもが生まれたので、うれしくてしかたがありません。

②めがねを変えたからか、このごろ目が疲れてしかたがない。

③どうして大川さんがとつぜんテニス部をやめたのか、わたしは気になってしかたがない。

④姉はいつも「かわいそうな小説を読むと泣けてしょうがない」と言っている。

⑤あき子は「数学の勉強がいやでしょうがない」と言っている。

　　Vて／イAくて／ナAで　＋しかたがない

▶ 1）ある感情や体の感覚が起こってその状態が強くて抑えられないというときに使う。④のように「思える・泣ける」などの自発を表す動詞とともに使うことが多い。　2）話す人の感情・体の感覚・

1. b　2. d　3. c　4. a　5. e　　1. a　2. b　3. a　4. a　5. b

27 心情の強調・避けられない心情や行動

欲求などを表す言い方であるから、3人称に使うときは文末に「～ようだ・～らしい・～のだ」などをつける必要がある。小説などは例外である。　3）「～てしょうがない」は話し言葉。

2　～てたまらない【非常に～／がまんできないほど～】

①このごろよく寝ていないので、昼間でも眠くてたまらない。
②今、妹はクラブ活動が楽しくてたまらないようだ。
③高等学校を卒業したときには、大きな都会の大学に行きたくてたまらなかった。
④昼ご飯にからいものを食べたので、のどが渇いてたまらず、水ばかり飲んでいる。

Vて／イАくて／ナАで　＋たまらない

▶ 1）ある感情や体の感覚が起こってその状態が強くて抑えられないというときに使う。

2）1「～てしかたがない」の ▶ 2）を参照。　3）自発を表す言葉「思える・泣ける」などといっしょには使えない。

×病気の母のことを思うと泣けてたまらない。
○病気の母のことを思うと泣けてならない。
○病気の母のことを思うと泣けてしょうがない。

3　～ないわけにはいかない【～しないことは避けられない／どうしても～する必要がある】

①田中さんに昨年から何度も頼まれているから、留学生会の役員を引き受けないわけにはいかない。
②明日はわたしが発表をする。今夜は友だちに誘われたが、断って明日の準備をしないわけにはいかない。
③父にはわたしが会社を首になったことを話さないわけにはいかなかった。

Vない　＋わけにはいかない

▶ 心理的・社会的・人間関係などの事情で「それをしないことは避けられない」または「～しなければならない」と言いたいときに使う。事情を説明する場合によく使う。

4 ～てならない【抑えられないほど～】

① 夏休みの間一生懸命に練習したのに、県大会の試合で、A高等学校に負けてしまい、悔しくてなりません。
② 役所が税金のむだ遣いをしている話を聞くと、腹が立ってならない。
③ 長男が勉強もしないでぶらぶらしているので、心配でならない。
④ 学校でいじめられて自殺した子どものことをテレビで聞くと、かわいそうで泣けてならない。

　　Vて／イAくて／ナAで　＋ならない

▶ 1) 自然にある感情や体の感覚が起こってきて抑えられないというときに使う。　2) 1「～てしかたがない」の▶ 2) を参照。　3) ④のように自発を表す言葉「思える・思い出される・泣ける」などとともに使って、気持ちを表すことが多い。

5 ～ないではいられない・～ずにはいられない
【どうしても～しないでいることはできない】

① この店のカレーはとてもからい。ちょっと食べたら、水を飲まないではいられない。
② 虫に刺されたところがかゆくて、かかないではいられない。
③ 中学生がだまされているところを見たので、何か言わないではいられなかった。
④ 津波の被災者のニュースを見ると、早く復興が進むようにと願わずにはいられません。
⑤ うちの子は保育園に行くと、家であったことをなんでも話さずにはいられないようだ。

　　Vない　＋ではいられない
　　Vな̄い　＋ずにはいられない　（例外　しない→せずにはいられない）

▶ 1) 身体的にがまんができない場合や、ものごとの様子や事情を見て、話者の心の中で「～したい」という気持ちが起こって意志の力では抑えられないというときに使う。　2) 1「～てしかたがない」の▶ 2) を参照。

6 ～ざるをえない
【どうしても～しないことは避けられない／どうしても～する必要がある／～しなければならない】

27 心情の強調・避けられない心情や行動

①物理は好きではないが、必修だから取らざるをえない。
②仕事を途中でやめるのは無責任だと言わざるをえない。
③京都でとてもいい茶わんを見つけたが、値段が高かったのであきらめざるをえなかった。
④富士山の途中まで登った。しかし、強い風雨のために引き返さざるをえなかった。

Vない ＋ざるをえない（例外 しない→せざるをえない）

▶「～したくはないが、避けられない事情があるのでしかたなく～する」と言うときに使う。やや古い、硬い言い方。「～ないわけにはいかない」に近いが、「しかたなく」という感じがもっと強い。

7 ～てやまない【心から～ている】

①お大事に。1日も早く元気になることを祈ってやみません。（手紙）
②世界から核兵器がなくなることを願ってやみません。
③わたしが尊敬してやまない山川先生が賞を受けられた。

Vて ＋やまない

▶ 1)「祈る・願う・愛する・尊敬する」などの感情を表す動詞について、「その感情が強く続いている」と言いたいときに使う。　2) 1「～てしかたがない」の▶ 2)を参照。

8 ～かぎりだ【最高に～だと感じる】

①A氏は頭脳明晰で才能もあり、その上体力にも恵まれている。うらやましいかぎりだ。
②メールの添付をまた忘れてしまいました。お恥ずかしいかぎりです。
③彼が問題の解決に向かって自ら1歩踏み出したことは、喜ばしいかぎりである。
④アフリカまで出かけて行ったが、目的が達成できずに帰国しなければならなかったことは残念なかぎりだ。

イAい／ナAな ＋かぎりだ

▶ 1)「現在、自分が非常にそう感じている」という心の状態を表す。感情を表す言葉に接続することが多い。　2) 1「～てしかたがない」の▶ 2)を参照。

9　～といったらない・～といったらありはしない

【口では表現できないほど～と思う／非常に～だ】

①工場での作業は毎日同じことの繰り返しだ。その退屈さといったらない。

②外国の町を初めて歩いたときの興奮といったらなかった。自分が映画の中の1人になったような気がした。

③ドリアンという果物のにおいといったらない。好きな人にもきらいな人にもたまらない。

④となりの人は1日中大きな声で歌っている。うるさいといったらありはしない。

⑤この食堂のラーメンのまずさったらない。

　　　イAい／N　＋といったらない

▶ 1）「～といったらない」の形で、「～」の程度が極端だと言いたいときに使う。プラス評価でもマイナス評価でも使える。　2）例文④⑤の「～といったらありはしない」と「～ったらない」はほとんど同じ意味だが、マイナス評価にだけ使う。またどちらもくだけた話し言葉である。

10　～ないではすまない・～ずにはすまない

【必ず～しなければならない】

①よそのうちの高価なものを壊してしまったのだ。弁償しないではすまない。

②今回のA大臣の失言の影響は大きい。辞職せずにはすまないだろう。

③宮沢先生にはあんなにお世話になったのだから、1度お礼に行かないではすまない。

　　　Vない　＋ではすまない

　　　V~~ない~~　＋ずにはすまない　（例外　しない→せずにはすまない）

▶ その時の状況・社会的ルールを考えると「そうしないことは許されない・そうしなければすまない・自分の気持ちからそうする」という言い方。硬い表現。

11　～ないではおかない・～ずにはおかない　A

【必ずそのようなことが引き起こされる】

①この女性の一生を描いた映画は、見る人の心を動かさないではおかない。

27 心情の強調・避けられない心情や行動

②この実話にもとづいた小説は読む人に感動を与えずにはおかない。
③この不衛生な環境は子どもたちの健康に悪い影響を及ぼさずにはおかないだろう。

- Vない　＋ではおかない

  V~~ない~~　＋ずにはおかない　（例外　しない→せずにはおかない）

▶「必ずそのようなことが引き起こされる」という意味。気持ちを表す言葉とともに使って、自然にそのような気持ちになると言うことが多い。

～ないではおかない・～ずにはおかない　B【かならず～する】

①試合中相手チームに少しのすきでもあれば、わがチームはそこを攻めずにはおかない。
②警察は機内に危険物を持ち込む人は逮捕しないではおかないと、決意を語った。
③本校においては、試験の際に不正をする学生は罰さないではおかない。

- Aと同じ

▶「～しないでおくということは許さない・かならず～する」という話者の強い気持ち・意欲・方針があるときの言い方。

12　～を余儀なくされる・～を余儀なくさせる

【しかたなく～される・させる】

①地震で被災した人々は余震の危険があるので家にもどることはできず、狭い車の中での生活を余儀なくされた。
②この国では高福祉を支えるために、人々は高い税金の負担を余儀なくされている。
③一郎は歌手志望だったが、父の死が彼に家業の店を継ぐことを余儀なくさせた。

- N　＋を余儀なくされる

▶1）本人の力ではどうすることもできない強制力のため「しかたなくそうしなければならない」と言う言い方。行為を表す名詞につく。　2）「～余儀なくされる」と「～余儀なくさせる」とは立場が反対になる。

225

練習 27　心情の強調・避けられない心情や行動

A　□の中の言葉を使って、＿＿の部分を言い換えなさい。1つの言葉は1回しか使いません。

> a　てたまりません　　b　てなりません
> c　ざるをえません

1．彼が何か悩んでいるような気がとても強くします。
　　　　　　　　　　（　　　　　　　　　）
2．まだ体調がよくないのですが、人手が足りないので今日からどうしても出勤しなければなりません。　　　　　　　　　　（　　　　　　　　　）
3．このごろ国のことが思い出されてとても寂しいです。
　　　　　　　（　　　　　　　　　）

> a　ないわけにはいきません　　b　ないではいられない
> c　てやみません　　　　　　　d　ないではおかない

4．わたしは細かいことをどうしても確かめないでいることはできない性格なのです。
　　　　　　　　（　　　　　　　　　）
5．これは高い本ですが、仕事にどうしても必要だから買わなければなりません。
　　　　　　　　　　　　　　（　　　　　　　　　）
6．今度あいつに会ったら、ひとこと必ず謝らせるぞ。
　　　　　　　　　　（　　　　　　　　　）
7．1日も早く被災地が復興することを心から願っています。
　　　　　　　　　　　　（　　　　　　　　　）

226

27　心情の強調・避けられない心情や行動

```
a　かぎりだ        b　を余儀なくされた
c　といったらない   d　ないではすまない
```

8．失礼なことを言ってしまったのだから、おわびしないですませることはできないと思う。　　　　　　　　　　（　　　　　　　　　）

9．クラスのヤンさんのスピーチのうまさは本当にすごい。ほんとうにうらやましい。
　　　　　　　　　　（　　　　　　　　　）（　　　　　　　　　）

10．父は働きすぎて体を壊し、しかたなく退職した。
　　　　　　　　　　（　　　　　　　　　）

B　次の文の＿＿に入る最もよいものを選んで、その記号を○で囲みなさい。

1．早く＿＿＿　＿＿＿　＿＿＿　＿＿＿帰宅した。
　　a　たまらなかったので　b　ビデオが　c　急いで　d　見たくて

2．あの人は＿＿＿　＿＿＿　＿＿＿　＿＿＿ならない。
　　a　どうも　b　うそをついている　c　という　d　気がして

3．ひとこと＿＿＿　＿＿＿　＿＿＿　＿＿＿気持ちがおさまるかな。
　　a　どうすれば　b　いられない　c　言わないでは　d　ときは

4．大統領が撃たれたと＿＿＿　＿＿＿　＿＿＿　＿＿＿なかった。
　　a　いったら　b　聞いた　c　驚きと　d　ときの

5．今日はこの書類を＿＿＿　＿＿＿　＿＿＿　＿＿＿んです。
　　a　どうしても　b　わけには　c　書き上げない　d　いかない

6．一人暮らしの高齢者に＿＿＿　＿＿＿　＿＿＿　＿＿＿ではいけないと思う。
　　a　政治　b　生活を　c　余儀なくさせる　d　不自由な

7．彼は＿＿＿　＿＿＿　＿＿＿　＿＿＿名手だ。
　　a　人を　b　演説の　c　おかない　d　感動させないでは

227

28 誘い・勧め・注意・禁止

Invitations / Advice / Warnings / Prohibitions
邀请，建议，提醒，禁止
권유 / 추천 / 주의 / 금지

相手を誘ったり、勧めたり、要求などをしたりしたいときは、どんな言い方がありますか。

知っていますか

a こと　b ことはない　c べきだ　d ものではない　e ことだ

1. 集合時間：午前8時30分。遅れない＿＿＿＿＿。（お知らせ）
2. 電車の中で騒いでいる子どもがいたら、ちょっと注意する＿＿＿＿＿と思う。
3. ほかの人が何を言っても気にしない＿＿＿＿＿よ。
4. ほかの人のいる前で携帯で大きな声で話す＿＿＿＿＿。
5. このプリントは1部あれば十分だ。コピーを取る＿＿＿＿＿。

使えますか

1. 先生、この言葉について
   - a もう1度説明していただきたいのですが。
   - b もう1度説明することですよ。

2. 年上の人にはていねいな言葉を
   - a 使わないものではない。
   - b 使うものだ。

3. 大型バイクに乗るには、
   - a 免許を取るべきだ。
   - b 免許を取らなければならない。

4. 何もそんな小さいことで
   - a 泣くことはないでしょう。
   - b 泣くことではないでしょう。

5. さあみんな、この案をすぐに
   - a 実行しようではないか。
   - b 実行するのではないか。

答えは次のページにあります。

28 誘い・勧め・注意・禁止

誘い・勧め・注意・禁止
相手を誘ったり、勧めたり、要求などをしたりしたいとき

```
┌─ 3 ──────────────── 2 ──────────────── 1 ─────────┐
│ 1  ～こと          4  ～ものだ・～ものではない    8  ～べからず・   │
│ 2  ～ことはない     5  ～ようではないか              ～べからざる   │
│ 3  ～べき・～べきだ・ 6  ～てもさしつかえない                      │
│    ～べきではない    7  ～ことだ                                │
└──────────────────────────────────────────────────┘
```

1 ～こと 【～しなさい】 ③

①宿題の作文は5日までに木村先生に出すこと。
②図書室の本はかならず返すこと。
③試験の日は消しゴムを忘れないこと。
④11月17日（火）12時にJR田町駅の改札口前に集合のこと。

○○ Vる・Vない／する動詞のNの ＋こと

▶ 1）学校、団体などで「～しなさい・～してはいけない」と指示や規則などを書いて伝えるときの表現。　2）黒板や配布用プリントなどに書いたり、口で伝えたりすることもある。

2 ～ことはない 【～する必要はない／～しない方がいい】 ③

①天気予報は晴れだから、今日はかさを持っていくことはないな。
②試験は簡単な質問だけだから、心配することはありません。
③たった1回試合に負けただけで、なにもテニス部をやめることはありませんよ。
④インターネットでレストランの地図や行き方を調べることもできるんだから、わざわざ地図を郵便で送ることはないよ。

○○ Vる ＋ことはない

▶ そうしなくてもいい・そんなことはしない方がいいと助言をしたり、忠告をしたりする言い方であ

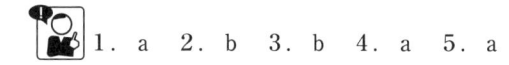

1. a 2. c 3. e 4. d 5. b　　1. a 2. b 3. b 4. a 5. a

る。「なにも〜ことはない・わざわざ〜ことはない」の形(かたち)でよく使(つか)う。

3　〜べき・〜べきだ・〜べきではない 【〜した方がいい／〜しない方がいい】

①わたしは彼女に言うべきことを全部言った。
②みんなで決めた約束はみんなで守るべきだ。
③だまされてお金を取られたんですか？　それは、すぐに警察に届けるべきですよ。
④お年寄りに対して子どもに話すような言葉で話すべきではない。

●● Vる　＋べきだ　（「する」は「すべきだ」もある）

▶ 1）話す人が「〜するのが、または〜しないのが人間としての義務だ」と主張したり、忠告したりしたいときの表現。　2）規則や法律で決まっている場合は「〜べきだ」は使わず「〜なければならない」を使う。

×　海外旅行に行くときはパスポートを持って行くべきだ。

4　〜ものだ・〜ものではない 【〜するのが当然だ／〜しないのが当然だ】

①会社や会への手紙のあて名には「様」でなく「御中」と書くものだ。
②良識ある人は通勤電車の中で化粧などしないものだ。
③もう9時だ。早く起きなさい。休みの日でも9時までには起きるもんだ。
④エレベーターの中で人の悪口など言うものではない。
⑤年下の人や弱い人のことをからかうもんじゃないよ。

●● Vる・Vない　＋ものだ

　　　Vる　＋ものではない

▶ 1）個人の意見ではなく、道徳的・社会的な常識について「〜するのが常識ですよ・〜しないのが常識ですよ」と説教するときの表現。　2）話し言葉では③⑤のように「〜もんだ・〜もんじゃない」となることが多い。　　　　　→　30課3「〜ものだ」／30課4「〜ものだ」

5　〜ようではないか 【〜しよう】

①成功するかどうかわからないが、とにかくやってみようではないか。
②携帯に使う時間を減らして、もっと本を読もうではないか。

③おやつ代をみんなで出し合うというのはいい考えですね。早速、今月から始めようではありませんか。

④新しい車を買う前に、まずうちには車が本当に必要かどうか話し合おうじゃないか。

🔗 Vよう ＋ではないか

▶「いっしょにしよう」と誘いかける言い方。主として男性が使うやや硬い言葉。女性が使う場合は③のように「～ようではありませんか」という形が多い。

6 ～てもさしつかえない【～ても問題ない】

①「明日の朝、用があるんですが、9時までに来なくてもさしつかえないでしょうか」
「ええ、いいですよ」

②看護師（予防注射をした後）「今晩、お風呂に入ってもさしつかえないですよ」

③推薦書は入学願書の締め切り日より2、3日遅れてもさしつかえありません。

④履歴書はコピーでもさしつかえありません。

🔗 Vても／イAくても／ナAでも／Nでも ＋さしつかえない

▶ 1)「～ても・～でも」で表される条件でもかまわない、と言いたいときに使う。 2)「～てもいい・～てもかまわない」とだいたい同じ意味だが「～てもさしつかえない」の方が消極的な許可・消極的な譲歩、または遠慮した言い方である。

7 ～ことだ【～しなさい】

①なにごとも失敗を恐れずにやってみることだ。

②車を運転するときは、絶対にお酒を飲んではいけません。誘われても飲まないことです。

③書く力をつけたいのなら、毎日、日記をつけることだ。

🔗 Vる・Vない ＋ことだ

▶ 上の人が下の人に「～した方がいい・～しない方がいい」と、個人の意見や判断を忠告として言う言い方。目上の人に対しては使わない。　　　　　→ 30課6「～ことだ」

8 ～べからず・～べからざる【～してはいけない】

① 昔はここに「ここで泳ぐべからず」と書いた立て札があった。
② 「用のない者、この部屋に入るべからず」(張り紙)
③ 前田さんのようなバランス感覚のある人はこの会にとって欠くべからざる存在だ。

　　Vる ＋べからず　　Vる ＋べからざる ＋N

▶「～してはいけない・～ことはできない」という意味の古い書き言葉である。現在ではあまり見かけないが、掲示板・立て札などに書かれていることがある。③の「欠くべからざる」は「欠くことができない」つまり「大切な」という意味になる。

練習 28　誘い・勧め・注意・禁止

A （　）の中の動詞を適当な形にして＿＿＿の上に書きなさい。

1. 君、人生の先輩の言うことにはもう少し耳を＿＿＿＿ものだよ。(傾ける)
2. 国民のみなさん、今こそわが国を＿＿＿＿ではありませんか。(立て直す)
3. 薬の飲み忘れをすることがあります。1日ぐらい＿＿＿＿さしつかえありませんよね。(飲む)
4. 命が惜しかったら決してスピードを＿＿＿＿ことですね。(出す)
5. （立て札）ここで釣りを＿＿＿＿べからず。(する)

B ＿＿＿の中の言葉を使って、次の文を完成させなさい。1つの言葉は1回しか使いません。

```
a  ことはない      b  ものではない
c  べきではない    d  こと    e  べきだ
```

1. 「このごろ忙しくて、なかなか家族といっしょに食事ができないんですよ」

28 誘い・勧め・注意・禁止

「そうですか。わたしも同じなんですよ。でも、こういう仕事が第一という生活を見直す1_____と思っています。仕事のために自分の大切なものを捨てる2_____と思います」

2．(図書室でおしゃべりをしている子どもたちに)

「図書室では静かにする3_____」って書いてあるだろう。おしゃべりをする4_____よ」

3．「A駅へ行きたいんですが、B駅で急行に乗り換えた方がいいでしょうか」

「お急ぎでなければ、乗り換える5_____ですよ。たった2分の違いですから」

```
    f  ことです      g  さしつかえない
    h  べからず     i  じゃありませんか    j  ものではない
```

4．「すみません。代金は明日でも6_____ですか」

「はい。申し込みは今日までですが、代金は今日でなくてもいいですよ」

5．「最近、みんな自分の仕事が忙しくてお互いに連絡が不十分なことがよくありますね」

「そうですね。朝、仕事を始める前に簡単なミーティングの時間があるといいんじゃないでしょうか」

「それはいい。課長に提案してみよう7_____」

6．「先生、わたし、大学に入ったのに、新しい友だちができなくて……」

「友だちを増やすには、専攻の同じ人とだけ付き合うのでなく、部やサークルに入って違う学部の人とも話してみる8_____よ」

7．「おじさん、これ、何という意味」

「『ここに駐車する9_____』か。車を止めてはいけないっていう意味だよ」

8．自分が悪いと思ったらまず謝るべきだ。言い訳をいろいろと並べる10_____。

29 主張・断定的評価

Assertion / Assertive Evaluation
主张，判断性的评价
주장 / 단정적 평가

気持ちを込めて主張するときや断定的に評価するときは、どんな言い方がありますか。

知っていますか

a　にきまっている　b　しかない　c　にほかならない　d　にすぎない
e　にこしたことはない

1．こんなに無理をしたら病気になる＿＿＿。
2．試験の当日は早めに家を出る＿＿＿。
3．わたしの論文は、論文というよりレポートという程度のもの＿＿＿。
4．あした手術をする。今はもう神に祈る＿＿＿。
5．彼がふるさとの方言を話し続けるのは、ふるさとへの深い愛着＿＿＿。

使えますか

1．あの時は病気だったのだから、
　　a　仕事を減らすしかなかった。
　　b　仕事をしないしかなかった。

2．　a　もうたばこはやめるまいと決心したが、
　　b　もうたばこは吸うまいと決心したが、　　やっぱり吸ってしまう。

3．大人になるということは、
　　a　親からの独立にほかならない。
　　b　親から独立するにほかならない。

4．この文の本当の意味がわかった人は、
　　a　ほんの数人にすぎなかった。
　　b　10人中8、9人にすぎなかった。

5．たくさん働いた人の方が給料が少ない。
　　a　これでは不公平ということだ。
　　b　これでは不公平というものだ。

答えは次のページにあります。

29 主張・断定的評価

主張・断定的評価　気持ちを込めて主張するとき・断定的に評価するとき

3
1　～にきまっている
2　～しかない・
　　～（より）ほか（は）ない・
　　～ほか（しかたが）ない

2
3　～まい
4　～にほかならない
5　～にすぎない
6　～というものだ
7　～にこしたことはない

1
8　～までだ・
　　～までのことだ
9　～ばそれまでだ
10　～に（は）当たらない

1　～にきまっている　【きっと～だ／必ず～だ】 **3**

①妻「夕飯はゆり子が作ってくれるそうよ。大丈夫かな」
　夫「料理好きなゆり子が作るんだからおいしい<u>にきまっている</u>よ。楽しみだね」
②試合ではAチームが勝つ<u>にきまっています</u>よ。日ごろの練習量がすごいんですから。
③そんな暗いところで本を読んだら目に悪い<u>にきまっている</u>。
④今週中に30枚のレポートを書くなんて無理<u>にきまっています</u>。

🔗　普通形（ナA・ナAである／N・Nである）　＋にきまっている

▶ 話す人が断定したいほど確信をもっている推量、または話す人の主張を表す。

2　～しかない・～（より）ほか（は）ない・～ほか（しかたが）ない
　　　【～以外に方法はない】 **3**

①1度決心したら最後までやる<u>しかない</u>。
②この事故の責任はこちら側にあるのだから、謝る<u>しかない</u>と思う。
③わたしの場合、生活費を抑えるには、電話代の節約<u>しかない</u>んですよ。
④当時わたしは生活に困っていたので、学校をやめて働く<u>ほかなかった</u>。
⑤この病気を治す方法は手術<u>しかない</u>そうです。すぐに入院する<u>よりほかはありません</u>。
⑥これ以上赤字が続いたら営業をやめる<u>ほかしかたがない</u>でしょう。

❓　1. a　2. e　3. d　4. b　5. c　　❗　1. a　2. b　3. a　4. a　5. b

- Vる／する動詞のN　＋しかない

　Vる　＋（より）ほか（は）ない

▶「ほかに方法がない・しかたがないからそうする」とあきらめの気持ちで言うときの表現。

3　～まい【～ようとは思わない／～のはやめよう】

①わたしの部屋には使わないものが多すぎる。もうむだな買い物はするまい。
②1度危ない経験をしたのでもう決して冬山には登るまいと決心したが、やはりまた登りたくなる。
③考えまい、考えまいとするけれど、やっぱりあしたのことが気になって眠れない。

- Vる　＋まい

　（動詞Ⅱ・Ⅲは「Vない　＋まい」もある。するは「すまい」もある）

▶強い否定の意志を表す。意志を表すのだから、主語は第1人称である。古い硬い言い方。

→ 26課Ⅱ・4「～まい」

4　～にほかならない【～だ／～以外のものではない】

①文化とは人々の日々の暮らし方にほかならない。
②あまり利用されない公共の建物を建築するのは税金のむだづかいにほかならない。
③彼が子どもに厳しいのは、子どもの将来のことを心配するからにほかならない。

- N　＋にほかならない

▶「絶対に～だ・～以外のものではない」と断定したいときの言い方。論説文などに使われる書き言葉。

5　～にすぎない【ただ～だけだ】

①「あなたはギリシャ語ができるそうですね」

　「いいえ、ただちょっとギリシャ文字が読めるにすぎません」
②当時のわたしの有給休暇は1年にわずか4日にすぎなかった。
③わたしは無名の一市民にすぎませんが、この事件について政府に強く抗議します。
④彼はただ父親が有名であるにすぎない。彼に実力があるのではない。

29 主張・断定的評価

　　N／普通形（ナAである／Nである）　＋にすぎない

▶「それ以上のものではない・ただその程度のものだ」と言って、程度の低さを強調するときの表現。「ただ～にすぎない・ほんの～にすぎない」の形で使うことが多い。

6　～というものだ【本当に～だと思う】

①親が子どもの遊びにまでうるさく口を出す……あれでは子どもがかわいそうというものだ。

②料理をたくさん注文して結局食べきれなくて残す。そして捨てる。本当にもったいないというものだ。

③つらいこともあればうれしいこともある。それが人生というものだ。

④長い間の研究がようやく認められた。努力のかいがあったというものだ。

　　普通形（ナA／N）　＋というものだ

▶話者がある事実について感想・批判を断定的に言うときに使う。過去形や否定形はない。いつも「～というものだ」の形で使う。

7　～にこしたことはない【～方がいい／～方が安心だ】

①この山道は安全だけれど、用心するにこしたことはないでしょう。

②けんかなどはしないにこしたことはないが、がまんできない場合もあるだろう。

③年をとってからも足は丈夫であるにこしたことはない。今日から何か運動を始めよう。

④収入は多いにこしたことはないが、働きすぎて体を壊したらだめだ。

　　普通形（現在形だけ）（ナAである／Nである）　＋にこしたことはない

▶「そうでなければいけないというほどではないが、常識的に考えて、その方がいい、その方が安全だ」と言いたいときの表現。

8　～までだ・～までのことだ【ほかに方法がないから～する覚悟がある】

①台風で家までの交通機関が止まってしまったら、歩いて帰るまでだ。

②この仕事、手伝ってくれる人がいないなら、わたし1人でやるまでだ。

③彼女がどうしてもお金を返さないと言うのなら、しかたがない。法に訴えるまでのこ

とだ。

○○　Vる　＋までだ

▶「ほかに適当な方法がないから、最後の手段として～する」という話者の覚悟・決意を表す。

→ 16課Ⅱ・5「～までだ・～までのことだ」

9　～ばそれまでだ【そのようなことになればすべて終わりだ】

①高い車を買っても、事故を起こせばそれまでだ。
②一生懸命働いても、病気になればそれまでだ。無理をしない方がいい。
③飛行機はこわい。落ちたらそれまでだ。新幹線で行こう。

○○　Vば　＋それまでだ

▶ 1)「そうなったら、すべてが終わりになってしまう」と言いたいときの表現。「～ても、～ばそれまでだ」のように、前文は「～ても」の形をとることが多い。　2) ③のように「～たらそれまでだ」という形で言うこともできる。

10　～に（は）当たらない【～のは適当ではない】

①彼はいい結果を出せなかったが、一生懸命やったのだから非難するに当たらない。
②ふだん目立たない子どもがおもしろい文を書いたからといって、驚くには当たらない。子どもはみんな何か隠れた力を持っているのだから。
③山田さんの成功の裏には親の援助があるのです。称賛には当たりません。

○○　Vる／する動詞のN　＋に（は）当たらない

▶「そうするのは適当ではない・そうするほどのことではない」という話者の評価を表す言い方。

練習 29　主張・断定的評価

A 　□　の中の言葉を使って、次の文を完成させなさい。1つの言葉は1回しか使いません。

29 主張・断定的評価

a にきまっている	b しかない	c まい
d にほかならない	e にすぎなかった	f というものだ
g それまでだ		

　息子の太郎はバイクの腕がいい。しかし、1度大けがをしてからは、もうバイクには乗る1＿＿＿と決心したようだった。でも、それは一時的な決心2＿＿＿。夫はあの事故の後、彼からバイクをとりあげてしまった。「いいバイクを持っていても、命をなくしたら3＿＿＿」と夫は言う。もちろん太郎のことを心配するから4＿＿＿。しかし、あれでは太郎がかわいそう5＿＿＿。太郎もまもなく20歳。バイクが危険なことはわかっている6＿＿＿。わかっていて乗るのだ。わたしは、今はもうあの子の好きなようにさせる7＿＿＿と思っている。

B ▭の中の言葉を使って、次の文を完成させなさい。1つの言葉は1回しか使いません。

a まい	b にほかならない	c にすぎない
d というものだ	e にこしたことはない	
f にはあたらない	g までのことだ	h それまでだ

1．親がわたしの気持ちをわかってくれないのなら、家を出る＿＿＿。
2．この論文は大作ではあるけれど、データが少し古いですね。優秀作として掲載する＿＿＿と思います。
3．日本が資源問題に関心を持ってきた理由は、日本が資源に乏しい国だから＿＿＿。
4．自由をあきらめるくらいなら、わたしは一生結婚する＿＿＿。
5．この質問の意味が理解できる人は、ごく少数＿＿＿。
6．やりたくないからやらないなんて、君、それはわがまま＿＿＿。
7．ふだんは健康でも、無理をしない生活を心がける＿＿＿。
8．どんなに練習しても、けがをして試合に出られなくなったら＿＿＿。

30 感嘆・願望

Exclamatory Expressions / Expressing Wishes
感叹，愿望
감탄 / 희망

感激して言ったり、感情や願いを強く言ったりするときは、どんな言い方がありますか。

知っていますか

a ほしい　b だろう　c ことだ　d ものだ　e たいものだ

1. 鈴木さんに赤ちゃんが生まれたそうだ。ほんとうにおめでたい＿＿＿＿＿。
2. 父は時間があると、よくわたしを魚つりに連れて行ってくれた＿＿＿＿＿。
3. 5年ぶりに友だちと会った。昔の友だちと話すのはなんと楽しいん＿＿＿＿＿。
4. ビンさんは、年をとる前になんとかして1度故郷に帰り＿＿＿＿＿といつも言っている。
5. 雑誌の記事の締め切りが近づいてくると、1日でも締め切りを延ばして＿＿＿＿＿と思う。

使えますか

1. 悔しいことに、
   - a わたしはこの会社をやめさせられたのです。
   - b わたしはこの会社をやめます。
2. 大学時代クラブ活動の後に、
   - a 何回この喫茶店に入ったものだ。
   - b 何回この喫茶店に入ったことか。
3. この子がこんな料理が作れるようになったのか。
   - a 大きくなったことに。
   - b 大きくなったものだ。
4. なんとかして今日中にこの仕事を
   - a 終わらせたいものだ。
   - b 終わらせないことか。
5. 駅でさいふを忘れて困っているときに、友だちに会った。
   - a なんとうれしかったことか。
   - b とてもうれしかったものだ。

答えは次のページにあります。

30 感嘆・願望

感嘆・願望 感激して言ったり、感情や願いを強く言ったりするとき

3
1　～だろう
2　～てほしい

2
3　～ものだ
4　～ものだ
5　～ことだろう・～ことか
6　～ことだ
7　～ことに（は）
8　～ものがある
9　～なんて
10　～たいものだ・～てほしいものだ
11　～ないものか

1
12　～とは

1　～だろう【非常に～だ】 **3**

① （月を見て）ああ、なんときれいな月だろう。

② （みかんを食べながら）なんておいしいんだろう。

③ あの子が生きているとわかっただけでも、どんなにうれしいことだろう。

④ 今ではインターネットで本が注文できる。なんと便利なことだろう。

⑤ 朝起きるのが遅いイチローに、試験のときには遅れないように何度注意したことか。

⑥ 小鳥が死んだとき、ケンがどんなに悲しんだことか。

　　普通形（イAい・イAいの／ナA・ナAなの／N・Nなの）＋だろう

　　普通形（ナAな・ナAである／Nである）＋ことだろう・ことか

▶ 1) 心に強く感じたことや感激したことを感情を込めて言うときの表現である。　2) ③～⑥は①②より少し硬い言い方。　3) 「～だろう・～ことだろう・～ことか」はどれも「なんと・どんなに・どれほど」などとともに使うことが多い。

---

1. c　2. d　3. b　4. e　5. a　　　　1. a　2. b　3. b　4. a　5. a

241

2　～てほしい【～てもらいたい】

①毎日、暑い日が続いています。早く涼しくなってほしいですね。(手紙)

②子どもには、他人の気持ちを考えないような人になってほしくない。

③「また、酒飲んだな」

　「兄さんだって、飲んでるのに。そんなこと言わないでほしい」

④親は生まれた子に元気に育ってほしいと願う。

　　Vて・Vないで　＋ほしい

▶ 話す人が相手やほかの人やものごとに対して要望や希望がある場合に使う。否定には②「Vてほしくない」と③「Vないでほしい」の2つの形がある。

3　～ものだ【よく～したなあ】

①子どものころ、寝る前に母がよく絵本を読んでくれたものだ。

②小学校のころ、兄とけんかをしてよく父にしかられたものだ。

③学生のころクラブ活動で、夜遅くまで歌を歌い、語り合ったものだ。

　　Vた　＋ものだ

▶ 昔よくしたことを思い出して、なつかしんで感情を込めて言うときの表現。「よく～ものだ」の形でよく使う。　　→ 28課4「～ものだ・ものではない」／30課4「～ものだ」

4　～ものだ【ほんとうに～だなあ】

①小さな子どもがよくこんな難しい体操をするものだ。大したもんだ。

②タンさんは10歳のときに両親を亡くしたそうだ。今日まで1人でよく生きてきたものだ。

③月日のたつのは早いもんで、日本に来たのはもう10年も前のことだ。

④外国に住んでその国のことを知るのは楽しいものだ。

　　普通形（ナAな）＋ものだ（Nにつく例はない）

▶ 心に強く感じたことや、驚いたり感心したりしたことを感情を込めて言う。「～もんだ」はくだけた会話の言い方。　　→ 28課4「～ものだ・ものではない」／30課3「～ものだ」

30 感嘆・願望

5 ～ことだろう・～ことか【非常に～だ】

▶ 1 「～だろう」と意味・用法が大体同じ。

6 ～ことだ【非常に～だ】

①弟の就職が決まった。ほんとうにうれしいことだ。

②10年前この図書館でよく本を借りて読んだ。なつかしいことだ。

③昨夜のテニスの試合では、A選手は最後に負けてしまった。残念なことだ。

○○ イAい／ナAな ＋ことだ

▶ 話者が、ある事実について感じた驚きや感動などについて感情を込めて言うときの表現。感情を表す形容詞につくことが多い。　　　　　　　　　　　　→28課7「～ことだ」

7 ～ことに（は）【非常に～ことだが】

①うれしいことに、彼女が「イエス」という返事をくれた。

②不思議なことに、空から魚が降ってきたそうだ。

③悔しいことに、1点差でA校との野球の試合に負けてしまった。

○○ Vた／イAい／ナAな ＋ことに（は）

▶ 1）話者が感じたことを「～ことに」の前で言う。初めに言うことによって、その感じを強調する言い方。やや書き言葉的な言い方。　2）「～ことに」の前には感情を表す言葉が入り、後にはその具体的内容が来る。話者の意志を表す文は来ない。

×うれしいことに、来年カナダに留学するつもりだ。

8 ～ものがある【とても～だ／なんとなく～感じる】

①半年前にいなくなったねこが帰ってきた。わたしにとって特別うれしいものがある。

②長年通学に使っていた電車が廃止されることになった。なんとなく寂しいものがある。

③20年続けてきた日本語教室が、建物の都合で閉じられることになった。わたしには残念なものがある。

○○ 普通形の現在形（ナAな）　＋ものがある（Nにつく例はない）

▶「〜ものがある」の形で、話者がある事実から感じたことや物事の特徴を表現するときに感情をもって言う表現。「〜」には話者の感情を表す言葉が来ることが多い。

9 〜なんて【〜という事実は／〜ということは】

①信じられないなあ。弟がプロ野球の選手になれたなんて。

②え、トムがアナウンサーだったなんて。知らなかった。

③夜帰宅したとき話し相手がロボットだとは。寂しい世の中になったなあ。

④あの2人がご夫婦だったとは。ぜんぜん知りませんでした。

⑤山全体が燃えるような赤に染まるとは。ほんとうにみごとな紅葉だ。

　　普通形　＋なんて・とは

▶1）予想していなかった「〜」という事実を見たり聞いたりしたときの驚きや感慨を言うときの表現。　2）「〜なんて」も「〜とは」も話し言葉で使うことが多いが、「〜なんて」は「〜とは」よりくだけた言い方。①は倒置の言い方。

10 〜たいものだ・〜てほしいものだ【〜たいなあ／〜てほしいなあ】

①わたしは中学生のころからなんとかして外国で仕事をしたいものだと思っていた。

②今年こそちゃんと計画を立ててシルクロードの旅行を始めたいものだ。

③なんとか早く日本語の新聞が読めるようになりたいものだ。

④医者「健康のために、毎日30分ぐらい歩くことを習慣にしてほしいものです」

⑤となりがうるさくて勉強ができない。静かにしてほしいもんだ。

　　Vます＋たい　＋ものだ

　　Vて＋ほしい　＋ものだ

▶1）「〜たいものだ」は強く願ったり、望んだりする言い方。話し言葉では「〜たいもんだ」となる。実現が容易な、日常生活のことにはほとんど使わない。　2）「〜てほしいものだ」は他者への強い願いを表す表現。くだけた言い方では「〜てほしいもんだ」となる。「なんとか・なんとかして」とよくいっしょに使う。

11 ～ないものか【～ないだろうか】

①人々は昔からなんとかして空を飛べないものかと願っていた。
②なんとかして地球の温暖化を止めることはできないものか。
③なんとか兄の病気が少しでもよくならないものかと、家族はみんな願っている。

⚭ Vない ＋ものか

▶ 実現が難しい状況で、強い願いを何かの方法で実現させたいという気持ちを表す。可能の動詞とともに使うことが多い。「なんとかして・なんとか」とともに使うことが多い。

12 ～とは【～という事実は／～ということは】

▶ 9「～なんて」と意味・用法が大体同じ。　　　　　　　　　　→ 17課3「～とは」

練習 30 感嘆・願望

A ＿＿＿の中の言葉を使って、次の文を完成させなさい。1つの言葉は1回しか使いません。

```
a たいものだ　　b ことか　　c ものだ
d だろう
```

1. いつもはばらばらな家族が1年に1回故郷に帰って、皆が集まるのはなんとうれしい＿＿＿＿。
2. 昔は年上の子も小さい子も近所の子どもたちがいっしょになってよく外で遊んだ＿＿＿＿。
3. ABC社の受付の人はなんと感じのいい人＿＿＿＿。
4. 今年こそジョギングを生活の習慣にし＿＿＿＿。

| e ものがある | f ことに | g とは |
| h ものか | | |

5．子どもの時に無口だった健ちゃんが、今しゃべるのが仕事の司会者になっている＿＿＿＿。びっくりしたなあ。

6．なんとかしてこの商談を成立させることができない＿＿＿＿と、毎日、交渉を重ねている。

7．会社に入って半年もしないうちに新人が新人らしい新鮮さを失ってしまうのを見るのは、ちょっと残念な＿＿＿＿。

8．幸運な＿＿＿＿、妹は事故があった電車には乗っていなかった。いつもなら乗っていた時間なのだが。

B ＿＿＿＿の上に「もの・こと」のどちらかを書きなさい。

1．おめでたい＿＿＿＿に、あの夫婦は２人合わせて190歳だそうですよ。
2．わたしが結婚したとき、祖母がどんなに喜んだ＿＿＿＿か。
3．母のことを思い出すと、懐かしいというよりは寂しい＿＿＿＿がある。
4．つらい練習をして、しかも逆転優勝したA選手はどんなにうれしかった＿＿＿＿だろう。
5．何とかして時間を取り戻せない＿＿＿＿かといつも思う。
6．え？　小学６年生が１人で海外旅行？　よくもまあ、親が許した＿＿＿＿だ。
7．昔はわたしもよく１人で山へ行った＿＿＿＿だが、今は１人で行くより数人で行く方が楽しい。
8．ああ、いろいろな国の言葉が話せるようになりたい＿＿＿＿だなあ。

「練習」の解答

1　行為の対象 (p16〜)
A　1．b　2．a　3．b　4．a　5．a
B　1d　2c　3f　4a　5b　6e
C　1．c　2．b　3．a　4．d　5．e

2　目的・手段・媒介　(p22〜)
A　1．c　2．b　3．e　4．d　5．a
B　1e　2d　3a　4c　5b
C　1．b　2．a　3．a　4．a　5．b

3　起点・終点・限界・範囲 (p29〜)
A　1．e 食べたいだけ　　2．d 3時間にわたる　　3．a 夕方から夜にかけて　　4．c 4年間にわたって　5．b 1年を通じて
B　1．a　2．b　3．b　4．b　5．a　　C　1a　2b　3e　4f　5c　6d　7g
D　1．a　2．b　3．b　4．a　5．a　　E　1．c　2．e　3．a　4．b　5．d

4　時点・場面 (p36〜)
A　1．を　2．×　3．に　4．で　5．を　6．×　7．で　8．×
B　1d　2b　3f　4e　5c　6a　　C　1．a　2．b　3．a　4．b

5　時間的同時性・時間的前後関係　(p46〜)
A　1．b　2．a　3．e　4．d　5．c　6．c　7．d　8．b　9．e　10．a　11．b　12．c　13．d　14．a
B　1．b 立ち上がったとたん　2．f 卒業して以来　3．d 冷めないうちに　4．c 入院してはじめて　5．e 考えてからでないと　6．a やみ次第　7．c 相談した上で　8．e かたづけるそばから　9．a 工事開始に先立って　10．b 着いたかと思うと　11．d 入院してからというもの

6　進行・相関関係 （p54〜）
A　1．b　2．b　3．a　4．a　5．b　6．a　7．a　8．a
B　1．読んでいくにつれて　2．早ければ早いほど　3．増える一方だ　4．進歩するとともに　5．改良されつつある
C　1b　2a　3d　4f　5c　6e

7　付帯・非付帯 (p59〜)
A　1．a　2．c　3．b　4．d　5．d　6．a　7．c　8．b
B　1．b 昼食ぬきで　2．c 進めつつ　3．a 道はぬきにして　4．e 行くついでに　5．d 勤めるかたわら

8　限定 (p64〜)
A　1．e　2．b　3．a　4．d　5．c
B　Ⅰ　1d　2f　3a　4c　5b　6g　7e
　　Ⅱ　1d　2g　3e　4f　5a　6b　7c

9　非限定・付加 (p73〜)
A　1．b　2．c　3．e　4．a　5．d
B　1．a　2．a　3．a　4．b
C　1．a　2．b　3．a　4．b　5．a
D　1a　2c　3d　4b　5f　6e

10　比較・程度・対比 （p84〜）
A　1．c 受けるかわりに　2．a 希望に反して　3．e 人間にかわって　4．d 読みやすい反面　5．b 裏切られるくらいつらいことはない　6．b 送っている一方で　7．d 口に合わないどころか　8．a 言おうか言うまいか　9．c くれただけまし　10．g それにもまして　11．e しないまでも　12．f それにひきかえ

B　1 c　2 g　3 b　4 f　5 e　6 a　7 d

11　判断の立場・評価の視点　（p93〜）
A　1 a　2 d　3 e　4 c　5 b　6 a　7 e　8 c　9 d　10 b
B　1 b　2 d　3 a　4 e　5 c　6 b　7 d　8 c　9 a　10 e
C　1．a　2．b　3．a　4．b　5．b

12　基準　（p100〜）
A　Ⅰ　1 f　2 e　3 c　4 a　5 d　6 b
　　Ⅱ　1 a　2 c　3 e　4 f　5 b　6 d
B　1．d キ　2．f ア　3．i イ　4．b ウ　5．h オ　6．g エ　7．e カ　8．c ク

13　関連・対応　（p107〜）
A　1．f　2．a　3．d　4．g　5．c　6．b　7．e
B　1 d　2 e　3 b　4 a　5 c　　　C　1．b　2．d　3．c　4．b　5．b　6．c

14　無関係・無視・例外　（p114〜）
A　1．a　2．a　3．b　4．b　5．a　6．b　7．b　8．b　9．a
B　1 e　2 b　3 f　4 d　5 a　6 c　7 g

15　例示　（p121〜）
1．b　2．a　3．c　4．bac　5．a　6．c　7．b　8．a　9．c　10．b

16　程度の強調　（p130〜）
A　1．a　2．e　3．d　4．c　5．b　6．e　7．b　8．a　9．c　10．d　11．d　12．a　13．c　14．b　15．e
B　1 a　2 d　3 e　4 b　5 c

17　話題　（p137〜）
A　Ⅰ　1 b　2 c　3 d　4 a　5 f　6 e
　　Ⅱ　1 e　2 c　3 f　4 a　5 b　6 d
B　1．c　2．a　3．h　4．e　5．f　6．b　7．g　8．d

18　逆接・譲歩　（p146〜）
A　1．b　2．a　3．c　4．d　5．c　6．b　7．a　8．d　9．c　10．a　11．d　12．b
B　1．買ったものの　2．なったにもかかわらず　3．寒いからといって　4．残念ながら　5．知っていながら　6．子どものくせに　7．よくないながらも　8．教授だとはいえ／教授とはいえ　9．よかったものを　10．社長といえども
C　1 d　2 b　3 a　4 g　5 c　6 e　7 h　8 f

19　原因・理由　（p158〜）
A　1．b　2．a　3．c　4．d　5．c　6．a　7．d　8．b　9．a　10．d　11．b　12．c　13．d　14．b　15．c　16．a　17．d　18．a　19．b　20．c
B　1．a　2．a　3．b　4．b　5．a　6．b　7．a　8．b
C　1．d 梅雨のおかげで　2．c 降ったせいで　3．a 不景気による　4．e 歩きまわることから　5．b 行くからには　6．a 出したばかりに　7．c 改装中につき　8．e 大金持ちじゃあるまいし　9．b 言った手前　10．d ゴールデンウィークとあって

20　仮定条件・確定条件　（p169〜）
A　1．d 行くとしたら　2．b 協力をぬきにしては　3．a 研究費さえあれば　4．c 会えるものなら　5．e 入ってみないことには　6．d しようものなら　7．c 示さないかぎり　8．e 友情なくしては　9．b 渡したら最後　10．f 参加するとなると　11．a 木村さんのためとあれば
B　1 b　2 d　3 g　4 f　5 a　6 c　7 e

21　逆接仮定条件　（p176～）
A　1．たとえ病気になっても　2．するとしても　3．不便であるにしろ　4．どちらにせよ
　　5．忠告したところで　6．アルバイトであろうと　7．だれであれ　8．なんと言われようと
　　9．雨が降ろうが、雪が降ろうが　10．勝とうが勝つまいが
B　1．d　2．a　3．a　4．a　5．b　6．c

22　不可能・可能・困難・容易　（p182～）
A　1．bいたしかねます　2．c直しようがない　3．a遅れるわけにはいかない　4．c取りようがない　5．a休むわけにはいかない　6．b言い出しかねて
B　1c信じがたい　2dあり得ない　3b信頼に足る　4a聞くにたえない　5eなぐさめようにもなぐさめられません

23　傾向・状態・様子　（p190～）
A　1．b　2．a　3．b　4．b　5．a　6．a
B　1 b　2 e　3 a　4 c　5 d
C　1 c　2 d　3 a　4 f　5 h　6 i　7 g　8 b　9 e

24　経過・結末　（p200～）
A　1．d　2．a　3．e　4．b　5．c　6．f
B　1 e 出したところ　2 g いうわけです　3 c 考えた末に　4 a 通いきれない　5 b やりっぱなし
　　6 d 行かずじまい　7 f 移ることになっている
C　1．b　2．e　3．c　4．a　5．d　6．f

25　否定・部分否定　（p210～）
A　1 b　2 a　3 c　4 d　5 b　6 d　7 a　8 c　9 g　10 f　11 e
B　1．a入賞するはずがない　2．e計るまでもない　3．d速いわけではない　4．cいいとは限らない　5．bマラソンどころではない　f出ないものでもない

26　伝聞・推量　（p217～）
A　1．a　2．a　3．b　4．b　5．a　6．b　7．a　8．a　9．b
B　1 b　2 a　3 d　4 e　5 c

27　心情の強調・避けられない心情や行動　（p226～）
A　1．b気がしてなりません　2．c出勤せざるをえません　3．a寂しくてたまりません
　　4．b確かめないではいられない　5．a買わないわけにはいきません　6．d謝らせないではおかない　7．c願ってやみません　8．dおわびしないではすまない　9．cうまさといったらない　aうらやましいかぎりだ　10．b退職を余儀なくされた
B　1．a　2．c　3．d　4．c　5．b　6．c　7．c

28　誘い・勧め・注意・禁止　（p232～）
A　1．傾ける　2．立て直そう　3．飲まなくても　4．出さない　5．する
B　1.1 e　2.2 c　2.3 d　4 b　3.5 a　4.6 g　5.7 i　6.8 f　7.9 h　8.10 j

29　主張・断定的評価　（p238～）
A　1 c　2 e　3 g　4 d　5 f　6 a　7 b
B　1．g　2．f　3．b　4．a　5．c　6．d　7．e　8．h

30　課　感嘆・願望　（p245～）
A　1．b　2．c　3．d　4．a　5．g　6．h　7．e　8．f
B　1．こと　2．こと　3．もの　4．こと　5．もの　6．もの　7．もの　8．もの

249

索引（50音順）

あ	課		ページ
〜あげく（に）	24 I-2	2	193
〜あげくの	24 I-2	2	193
〜あっての	16 I-8	1	126
〜あまり（に）	19 II-9	2	156
あまりの〜に	19 II-9	2	156
〜いかんだ	13-10	1	106
〜いかんで（選挙の結果いかんで）			
	13-10	1	106
〜いかんでは（選挙の結果いかんでは）			
	13-11	1	106
〜いかんにかかわらず（成績のいかんにかかわらず）			
	14-7	1	112
〜いかんによって（予算の使い方いかんによって）			
	13-10	1	106
〜いかんによっては（天候のいかんによっては）			
	13-11	1	106
〜いかんによらず（理由のいかんによらず）			
	14-7	1	112
〜以上（は）（オリンピックに出場する以上）			
	19 II-4	2	154
〜一方（で）（厳しくしかる一方で）			
	10 II-7	2	82
〜一方だ（最近、わたしは太る一方です）			
	6 I-1	3	50
〜上（に）（仕事を紹介してもらった上）			
	9 II-2	3	70
〜上で（企画を成功させる上で）			
	2 I-2	2	19
〜上で（お目にかかった上で）	5 II-5	2	44
〜上は（進学すると決めた上は）			
	19 II-5	2	154
〜うちに（練習を重ねるうちに）			
	4-4	3	34
〜うちに（独身のうちに）	5 II-4	3	44
〜得る	22-5	2	181
〜得ない	22-5	2	181
〜おかげか	19 I-3	3	151
〜おかげだ	19 I-3	3	151
〜おかげで	19 I-3	3	151
〜おそれがある	26 II-1	2	214
〜折（に）	4-7	2	35
〜折の	4-7	2	35

か	課		ページ
〜かぎり（できるかぎり）	3-7	2	27
〜かぎり（は）（体が丈夫なかぎり）			
	8-3	2	63
〜かぎりだ（うらやましいかぎりだ）			
	27-8	1	223
〜かぎりでは（覚えているかぎりでは）			
	8-4	2	63
〜かぎりの（知っているかぎりのこと）			
	3-7	2	27
〜かける	4-3	3	34
〜が最後	20-10	1	168
〜がたい	22-3	2	180
〜かたがた	7-7	1	59
〜かたわら	7-6	1	58
〜がち	23 I-1	3	185
〜がてら	7-5	1	58
〜か〜ないかのうちに	5 I-4	2	40
〜かねない	26 II-6	2	216
〜かねる	22-4	2	180
〜かのようだ	23 II-1	2	187
〜かのような	23 II-1	2	187
〜かのように	23 II-1	2	187
〜が早いか	5 I-6	1	41
〜から（栄養の不足から）	19 I-2	3	150
〜からいうと	11 I-4	2	89
〜からいえば	11 I-4	2	89
〜からいって	11 I-4	2	89
〜からこそ	19 II-2	3	153
〜からして（所長からしてよく遅刻する）			
	3-6	2	27
〜からして（社長の言い方からして）			
	11 I-5	2	89
〜からすると	11 I-5	2	89
〜からすれば	11 I-5	2	89
〜からといって	18-7	2	142
〜から〜にかけて	3-1	3	25
〜からには（全国大会に出るからには）			
	19 II-1	3	153
〜からは（こちらからお願いするからは）			
	19 II-1	3	153
〜かわりに	10 II-5	3	81
〜気味	23 I-4	2	186

〜きらいがある	23 I-5	①	186
〜きり	24 I-4	②	194
〜きりだ	24 I-4	②	194
〜きる	24 II-2	③	196
〜きれる	24 II-2	③	196
〜極まりない	16 I-10	①	127
〜極まる	16 I-10	①	127
〜くせして	18-4	②	141
〜くせに	18-4	②	141
〜くらい	10 I-2	③	77
〜くらい（歩くくらいの軽い運動）	16 II-2	③	128
〜くらいだ	10 I-2	③	77
〜くらいなら（自由がなくなるくらいなら）	10 I-5	②	78
〜くらいの	10 I-2	③	77
〜くらい〜はない	10 I-3	③	77
〜げ	23 II-3	②	188
〜こそ	16 I-1	③	124
〜こと（木村先生に出すこと）	28-1	③	229
〜ことか（どんなに悲しんだことか）	30-5	②	243
〜ことから	19 I-2	③	150
〜ことだ（失敗を恐れずにやってみることだ）	28-7	②	231
〜ことだ（ほんとうにうれしいことだ）	30-6	②	243
〜ことだし	19 II-3	②	154
〜ことだろう（どんなにうれしいことだろう）	30-5	②	243
〜こととなっている	24 II-5	③	197
〜ことなく（途切れることなく）	25 I-3	②	205
〜ことなしに（事前の断りなしに）	25 I-7	①	206
〜ことに（は）	30-7	②	243
〜ことになっている	24 II-5	③	197
〜ことになる	24 II-3	③	196
〜ことは〜が	25 II-1	③	207
〜ことはない	28-2	③	229

さ	課		ページ
〜際（に）	4-1	③	33

〜最中（に）	4-5	③	34
〜最中だ	4-5	③	34
〜際の	4-1	③	33
〜さえ	16 I-2	③	124
〜さえ〜ば（暇さえあれば）	20-1	③	164
〜ざるをえない	27-6	②	222
〜しかない	29-2	③	235
〜次第（スケジュールが決まり次第）	5 I-5	②	40
〜次第だ（この仕事の結果次第です）	13-5	②	104
〜次第だ（差し上げました次第です）	24 II-10	②	199
〜次第で（言葉の使い方次第で）	13-5	②	104
〜次第では（病状の進み方次第では）	13-6	②	105
〜しまつだ	24 II-12	①	200
〜上（予算の関係上）	11 I-3	②	89
〜上の（計算上のミス）	11 I-3	②	89
〜末（に）	24 I-3	②	194
〜末の	24 I-3	②	194
〜ずくめ	23 I-7	①	187
〜ずじまい	24 II-9	②	198
〜ずにはいられない	27-5	②	222
〜ずにはおかない	27-11	①	224
〜ずにはすまない	27-10	①	224
〜すら	16 I-6	①	126
〜せいか	19 I-4	③	151
〜せいだ	19 I-4	③	151
〜せいで	19 I-4	③	151
〜そばから	5 I-9	①	42

た	課		ページ
〜たいものだ	30-10	②	244
〜だけ（持てるだけ持って）	3-3	③	26
〜だけあって（医者だけあって）	11 II-2	②	92
〜だけでなく	9 I-1	③	67
〜だけに（実力があるだけに）	19 II-8	②	155
〜だけの（言いたいだけのことを全部）	3-3	③	26

251

項目	課	レベル	頁
〜だけの（努力しただけのかいはあった）	10 I-6	2	78
〜だけまし	10 I-7	2	78
ただ〜のみ	8-5	1	63
たとえ〜ても	21-1	3	173
〜たところ（先輩に相談してみたところ）	24 I-1	3	193
〜たところで（車を飛ばしていったところで）	21-4	1	174
〜たとたん（に）	5 I-1	3	39
〜たび（に）	13-3	3	104
〜だらけ	23 I-2	3	185
〜たら最後	20-10	1	168
〜たりとも〜ない	16 II-4	1	129
〜だろう	30-1	3	241
〜ついでに	7-1	3	57
〜つつ（バスに揺られつつ）	7-2	2	57
〜つつ（ダイエット中だと言いつつ）	18-3	2	141
〜つつある（台風が近づきつつある）	6 I-2	2	50
〜つつも（悪いと知りつつも）	18-3	2	141
〜っぱなし（道具が出しっぱなし）	24 II-8	2	198
〜っぽい（黒っぽいセーター）	23 I-3	2	185
〜であれ（命令されたことが何であれ）	21-5	1	175
〜であれ〜であれ（食べ物であれ生活用品であれ）	15-10	1	120
〜であろうと（いかなる国であろうと）	21-5	1	175
〜であろうと〜であろうと	15-10	1	120
〜て以来	5 II-6	2	44
〜てからでないと	5 II-3	3	43
〜てからでなければ	5 II-3	3	43
〜てからというもの（は）	5 II-8	1	45
〜てからは	5 II-2	3	43
〜てこそ	16 I-4	2	125
〜でさえ	16 I-2	3	124
〜てしかたがない	27-1	3	220
〜てしょうがない	27-1	3	220
〜ですら	16 I-6	1	126
〜てたまらない	27-2	3	221
〜てならない	27-4	2	222
〜ではあるまいか	26 II-5	2	216
〜ではあるまいし	19 II-11	1	157
〜てはじめて	5 II-1	3	42
〜てほしい	30-2	3	242
〜てほしいものだ	30-10	2	244
〜手前	19 II-13	1	158
〜てまで	16 I-5	2	125
〜てもさしつかえない	28-6	2	231
〜てやまない	27-7	1	223
〜と相まって	9 II-7	1	72
〜とあって	19 II-10	1	157
〜とあれば	20-12	1	168
〜といい〜といい	15-8	1	120
〜というか〜というか	15-6	2	119
〜ということだ（また遅刻ということですね）	24 II-4	3	196
〜ということだ（スポーツセンターができるということだ）	26 I-1	3	213
〜ということは（体が丈夫だということは）	17-4	2	134
〜というと	17-6	2	135
〜というところだ	3-12	1	29
〜というのは（「いたしかたがない」というのは）	17-1	3	133
〜というもの（は）（夏休みになってからというもの）	16 I-7	1	126
〜というものだ（かわいそうというものだ）	29-6	2	237
〜というものではない	25 II-5	2	209
〜というものは	17-4	2	134
〜というより	10 II-4	3	81
〜といえども（親友といえども）	18-13	1	145
〜といえば	17-5	2	135
〜といった	15-3	2	118
〜といったところだ	3-12	1	29
〜といったら（懸命な働きぶりといったら）	17-8	2	136
〜といったらありはしない	27-9	1	224

252

〜といったらない（その退屈さといったらない）	27-9	①	224
〜といっても	18-1	③	140
〜といわず〜といわず	15-9	①	120
〜と思いきや	18-14	①	145
〜（か）と思うと	5 I-3	②	40
〜（か）と思ったら	5 I-3	②	40
〜とおり（に）	12-2	③	97
〜とおりだ	12-2	③	97
〜とおりの	12-2	③	97
〜とか（きのう大雪だったとか）	26 I-2	②	213
〜とか〜とか（野菜とか肉とか豆腐とか）	15-1	③	117
〜ときたら	17-10	①	137
〜ところ（ごちそうを食べるところで）	4-2	③	33
〜どころか（中国語どころか、ベトナム語も）	10 II-8	②	83
〜ところから（まだ温かいところから）	19 I-2	③	150
〜ところだった（危なくぶつかるところだった）	24 II-7	②	198
〜どころではない（サッカーを見に行くどころではない）	25 I-5	②	205
〜どころではなく（見物どころではなく）	25 I-5	②	205
〜ところを（お忙しいところを）	18-11	①	144
〜ところをみると（急に掃除を始めたところをみると）	19 II-7	②	155
〜としたところで	11 I-7	①	90
〜としたら	20-2	③	164
〜として（観光客として）	11 I-2	③	88
〜として〜ない	16 II-3	②	129
〜としても（新しい仕事を探すとしても）	21-2	③	173
〜とすると（30万円以上もかかるとすると）	20-2	③	164
〜とすれば（1週間に5日働くとすれば）	20-2	③	164
〜とともに（ベルが鳴るとともに）	5 I-2	②	39
〜とともに（冷え込みが厳しくなるとともに）	6 II-4	②	53
〜となると	20-9	②	167
〜とのことだ	26 I-1	③	213
〜とは（赤字とは）	17-3	②	134
〜とは（話し相手がロボットだとは）	30-12	①	245
〜とはいうものの	18-5	②	142
〜とはいえ	18-12	①	144
〜とは限らない	25 II-2	③	207
〜とみえて	26 II-3	③	215
〜とみえる	26 II-3	③	215
〜ともあろう	11 II-5	①	93
〜ともなく	23 II-4	①	188
〜ともなしに	23 II-4	①	188
〜ともなると	11 II-4	①	92
〜ともなれば	11 II-4	①	92

な	課		ページ
〜ないうちに（気がつかないうちに）	4-4	③	34
〜ないうちに（沸騰しないうちに）	5 II-4	③	44
〜ないかぎり	20-8	①	167
〜ないことには	20-4	②	165
〜ないことはない	25 II-4	②	208
〜ないこともない	25 II-4	②	208
〜ないではいられない	27-5	②	222
〜ないではおかない	27-11	①	224
〜ないではすまない	27-10	①	224
〜ないでもない	25 II-6	①	209
〜ないまでも	10 I-9	①	79
〜ないものか	30-11	②	245
〜ないものでもない	25 II-6	①	209
〜ないわけにはいかない	27-3	③	221
〜ながら（お金がありながら）	18-2	②	140
〜ながら（に）（涙ながら恐ろしい体験を語った）	23 II-5	①	189
〜ながらの（昔ながらの校舎）	23 II-5	①	189
〜ながらも（子どもながらも）	18-9	①	143
〜なくして（は）	20-11	①	168

〜なくもない	25 II-6	❶	209
〜なしに（事前の断りなしに）	25 I-7	❶	206
〜など	16 II-1	❸	128
〜ならいざしらず	14-10	❶	113
〜ならでは	8-6	❶	64
〜なら〜ほど	6 II-1	❸	52
〜なり（とつぜん受話器を置くなり）	5 I-8	❶	41
〜なり〜なり（反対するなり賛成するなり）	15-7	❶	119
〜なりに（わたしなりに少し考えてみた）	11 I-8	❶	91
〜なりの（収入が少なければ少ないなりの暮らし）	11 I-8	❶	91
〜なんか	16 II-1	❸	128
〜なんて（お兄さんなんて顔も見たくない）	16 II-1	❸	128
〜なんて（プロ野球の選手になれたなんて）	30-9	❷	244
〜にあたって	4-9	❷	36
〜に（は）当たらない	29-10	❶	238
〜にあって	4-10	❶	36
〜に至って（は）（39度の熱が3日も続くという事態に至って）	24 I-5	❶	195
〜に至る（死者30人を出すに至った）	24 II-11	❶	199
〜に至るまで（指の先に至るまで）	3-9	❶	28
〜において	4-6	❸	35
〜に応じた	13-7	❷	105
〜に応じて	13-7	❷	105
〜における	4-6	❸	35
〜にかかわらず	14-2	❷	111
〜にかかわりなく	14-1	❸	110
〜にかかわる	1-8	❶	16
〜に限って（急いでいるときに限って）	8-2	❷	62
〜に限らず（日曜日に限らず）	9 I-4	❷	68
〜に限り（朝10時までにご来店の方に限り）	8-1	❷	62
〜に限る（仕事を終えたあとは、冷えたビールに限ります）	10 I-4	❸	77
〜にかけては	17-2	❸	134

〜にかわって	10 II-6	❸	82
〜に関して	1-5	❷	15
〜に関する	1-5	❷	15
〜にきまっている	29-1	❸	235
〜にこしたことはない	29-7	❷	237
〜にこたえて	1-6	❷	15
〜にこたえる	1-6	❷	15
〜に際して	4-8	❷	35
〜に先立つ	5 II-7	❷	45
〜に先立って	5 II-7	❷	45
〜にしたがって	6 II-3	❸	53
〜にしたところで	11 I-7	❷	90
〜にしたら	11 I-6	❷	90
〜にして	16 I-9	❶	127
〜にしては（新入社員にしては）	11 II-3	❷	92
〜にしても（いくら忙しかったにしても）	18-8	❷	143
〜にしても（もしこの仕事をするにしても）	21-3	❷	174
〜にしても〜にしても（めがねにしてもバッグにしても）	15-2	❸	117
〜にしろ（事故があったにしろ）	18-8	❷	143
〜にしろ（どんな会社の試験を受けるにしろ）	21-3	❷	174
〜にしろ〜にしろ（柔道にしろサッカーにしろ）	15-4	❷	118
〜にすぎない	29-5	❷	236
〜にすれば	11 I-6	❷	90
〜にせよ（田中さんほどでないにせよ）	18-8	❷	143
〜にせよ（たとえわずかな額にせよ）	21-3	❷	174
〜にせよ〜にせよ（JRにせよほかの私鉄にせよ）	15-4	❷	118
〜に沿う	12-5	❷	99
〜に相違ない	26 II-7	❷	216
〜に即した	12-8	❶	100
〜に即して	12-8	❶	100
〜に沿った	12-5	❷	99
〜に沿って	12-5	❷	99

項目	課	レベル	ページ
〜に対して（お年寄りに対して）	1-2	3	14
〜に対して（活発な姉に対して、妹は）	10 II-1	3	80
〜に対する（先生に対するわたしの気持ち）	1-2	3	14
〜にたえない	22-8	1	182
〜にたえる	22-8	1	182
〜に足る	22-7	1	181
〜に違いない	26 II-2	3	214
〜について（この町の歴史について）	1-1	3	14
〜につき（改装中につき）	19 I-7	2	152
〜につけて（遊び方を見るにつけて）	13-8	2	105
〜につれて	6 II-2	3	52
〜にとって	11 I-1	3	88
〜にとどまらず	9 I-6	1	69
〜に伴って	6 II-5	2	53
〜に反した	10 II-2	3	80
〜に反して	10 II-2	3	80
〜に反する	10 II-2	3	80
〜にひきかえ	10 II-10	1	84
〜にほかならない	29-4	2	236
〜にもかかわらず	18-6	2	142
〜に基づいた	12-6	2	99
〜に基づいて	12-6	2	99
〜に基づく	12-6	2	99
〜にもまして	10 I-8	1	79
〜によって（話し合いによって解決できる）	2 II-1	3	20
〜によって（気分によって、服を変えます）	13-1	3	103
〜によって（津波によって、大きな被害が出た）	19 I-1	3	150
〜によっては（年によっては）	13-2	3	103
〜による（携帯電話によるコミュニケーション）	2 II-1	3	20
〜による（季節による風景の変化）	13-1	3	103
〜による（飲酒運転による事故）	19 I-1	3	150
〜によると（テレビの長期予報によると）	2 II-2	3	21
〜によれば（専門家の予想によれば）	2 II-2	3	21
〜にわたって	3-4	3	26
〜にわたる	3-4	3	26
〜ぬきで	7-3	2	58
〜ぬきに	7-3	2	58
〜ぬきの	7-3	2	58
〜ぬく	24 II-6	2	197
〜の上で（形式の上で）	11 I-3	2	89
〜のことだ	19 II-6	2	155
〜のことだから	19 II-6	2	155
〜のこととなると	17-9	2	136
〜のみならず	9 I-5	2	69
〜のもとで	12-7	2	99
〜のもとに	12-7	2	99

は

項目	課	レベル	ページ
〜ば〜（のに）	20-3	3	165
〜はいざしらず	14-10	1	113
〜はおろか	9 II-5	1	71
〜ばかりか（かぜが治らないばかりか）	9 I-3	2	68
〜ばかりだ（不安は増すばかりだ）	6 I-4	2	51
〜ばかりでなく（頭が痛いばかりでなく、吐き気もする）	9 I-2	3	67
〜ばかりに（本当のことを言ったばかりに）	19 I-6	2	152
〜ばこそ	19 II-12	1	157
〜はさておき	14-6	2	112
〜はずがない	25 I-1	3	204
〜ばそれまでだ	29-9	1	238
〜はというと	17-7	2	136
〜はともかく（として）	14-5	2	111
〜は問わず	14-3	2	111
〜はぬきにして	7-4	2	58
〜ば〜ほど	6 II-1	3	52
〜はもちろん	9 II-3	2	71
〜はもとより	9 II-4	2	71
〜半面	10 II-3	3	81

〜反面(はんめん)	10 II-3	③	81
〜べからざる	28-8	①	232
〜べからず	28-8	①	232
〜べき	28-3	③	230
〜べきだ	28-3	③	230
〜べきではない	28-3	③	230
〜べく	2 I-3	①	20
〜（より）ほか（は）ない	29-2	③	235
〜ほか（しかたが）ない	29-2	③	235
〜ほど（勉強するほど難しくなる）	6 II-1	③	52
〜ほど（泣きたくなるほど寂しかった）	10 I-1	③	76
〜ほどだ（うれしくて涙が出るほどだった）	10 I-1	③	76
〜ほどの（死にたいほどのつらい経験）	10 I-1	③	76
〜ほど〜はない（今年の夏ほど暑い夏はない）	10 I-3	③	77

ま	課		ページ
〜まい（簡単には解決するまい）	26 II-4	②	215
〜まい（むだな買い物はするまい）	29-3	②	236
〜まで（お父さんまでわたしを疑うの）	16 I-3	③	125
〜までして（だますようなことまでして）	16 I-5	②	125
〜までだ（気になって電話したまで）	16 II-5	①	129
〜までだ（歩いて帰るまでだ）	29-8	①	237
〜までのことだ（つい買っちゃったまでのことなんです）	16 II-5	①	129
〜までのことだ（法に訴えるまでのことだ）	29-8	①	237
〜までもない（電卓を使うまでもない）	25 I-8	①	206
〜までもなく（話を聞くまでもなく）	25 I-8	①	206
〜まみれ	23 I-6	①	187

〜向き(む)（10代の女性向きに作った）	1-4	③	15
〜向け（幼児向けに書かれた本）	1-3	③	14
〜もかまわず	14-4	②	111
〜もさることながら	9 II-6	①	72
〜もしない	25 I-4	②	205
〜も〜なら〜も	9 II-1	③	70
〜もの（あの授業おもしろくないもの）	19 I-5	②	151
〜ものか（2度と行くものか）	25 I-6	②	206
〜ものがある（残念なものがある）	30-8	②	243
〜ものだ（「様」でなく「御中」と書くものだ）	28-4	②	230
〜ものだ（よく絵本を読んでくれたものだ）	30-3	②	242
〜ものだ（大したもんだ）	30-4	②	242
〜ものだから（先週は忙しかったものだから）	19 I-5	②	151
〜もので（友だちが泊まりに来るもので）	19 I-5	②	151
〜ものではない（悪口など言うものではない）	28-4	②	230
〜ものなら（できるものなら）	20-5	②	166
〜ものの（元気ではあるものの）	18-5	②	142
〜ものを（電車に乗れば早く着いたものを）	18-10	①	143
〜も〜ば〜も	9 II-1	③	70

や	課		ページ
〜や（部屋に入って来るや）	5 I-7	①	41
〜や否(いな)や（ニュースが伝わるや否や）	5 I-7	①	41
〜やら〜やら	15-5	②	118
〜ようが	21-6	①	175
〜ようがない	22-2	③	179
〜ようか〜まいか	10 II-9	②	83
〜ようが〜まいが	21-7	①	175
〜ようではないか	28-5	②	230
〜ようと（も）	21-6	①	175

文型	課	レベル	ページ
〜ようと〜まいと	21-7	1	175
〜ようとしている	6 I-3	2	51
〜ような（期待していたようなデータ）	12-1	3	97
〜ように（子どもでも読めるように）	2 I-1	3	19
〜ように（体が思うように動かない）	12-1	3	97
〜ようにして	23 II-2	2	188
〜ようにも〜ない	22-6	1	181
〜ようもない	22-2	3	179
〜ようものなら	20-7	2	166

わ	課		ページ
〜わけがない（彼が知っているわけがない）	25 I-2	3	204
〜わけだ（10日で終わるわけです）	24 II-1	3	195
〜わけではない（勉強ばかりしていたわけではない）	25 II-3	3	208
〜わけにはいかない	22-1	3	179
〜わりに（は）	11 II-1	3	91

を	課		ページ
〜をおいて	8-7	1	64
〜を限りに	3-10	1	28
〜を皮切りとして	3-8	1	28
〜を皮切りに（して）	3-8	1	28
〜をきっかけとして	13-4	3	104
〜をきっかけに（して）	13-4	3	104
〜を契機として	13-9	2	106
〜を契機に（して）	13-9	2	106
〜を通じて（この会の活動を通じて）	2 II-3	3	21

文型	課	レベル	ページ
〜を通じて（年間を通じて）	3-2	3	26
〜を通して（事務所を通して）	2 II-3	3	21
〜を通して（一生を通して）	3-2	3	26
〜を〜とした	12-4	3	98
〜を〜として	12-4	3	98
〜を〜とする	12-4	3	98
〜を問わず	14-3	2	111
〜を〜に（して）	12-4	3	98
〜を〜にした	12-4	3	98
〜を〜にする	12-4	3	98
〜をぬきにして（硬い話をぬきにして）	7-4	2	58
〜をぬきにしては（山田さんをぬきにしては）	20-6	2	166
〜をはじめ（として）	3-5	2	27
〜をはじめとする	3-5	2	27
〜を踏まえた	12-9	1	100
〜を踏まえて	12-9	1	100
〜をめぐって	1-7	2	16
〜をめぐる	1-7	2	16
〜をもって（非常な努力をもって）	2 II-4	1	22
〜をもって（本日をもって）	3-11	1	29
〜をもとに（して）	12-3	3	98
〜をもとにした	12-3	3	98
〜をもとにする	12-3	3	98
〜をものともせず（に）	14-8	1	112
〜を余儀なくさせる	27-12	1	225
〜を余儀なくされる	27-12	1	225
〜をよそに	14-9	1	113

ん	課		ページ
〜んばかりだ	23 II-6	1	189
〜んばかりに	23 II-6	1	189
〜んばかりの	23 II-6	1	189

参考文献

▼ 教科書

『中級日本語』	東京外国語大学留学生日本語教育センター編	(1994)	凡人社
『日本語中級 J 301―基礎から中級へ―』英語版	土岐哲、関正昭、平高史也　ほか	(1995)	スリーエーネットワーク
『日本語の表現技術　中級　読解と作文』	羽田野洋子、倉八順子	(1995)	古今書院
『上級日本語』	東京外国語大学留学生日本語教育センター編	(1998)	凡人社
『日本語』II	国際学友会日本語学校編	(1998)	日本学生支援機構東京日本語教育センター
『日本語中級 J501―中級から上級へ―』英語版	土岐哲、関正昭、平高史也　ほか	(2001)	スリーエーネットワーク
『ニューアプローチ中級日本語』[基礎編]　改訂版	小柳昇	(2002)	日本語研究社
『ニューアプローチ中上級日本語』[完成編]	小柳昇	(2002)	日本語研究社
『テーマ別 中級から学ぶ日本語』改訂版	松田浩志、亀田美保、長田龍典	(2003)	研究社
『中級へ行こう 日本語の文型と表現 59』	三輪さち子、平井悦子	(2004)	スリーエーネットワーク
『テーマ別 上級で学ぶ日本語』改訂版	松田浩志、阿部祐子、亀田美保　ほか	(2006)	研究社
『中級を学ぼう 日本語の文型と表現 56 中級前期』	平井悦子、三輪さち子	(2007)	スリーエーネットワーク
『「大学生」になるための日本語 1』	堤良一、長谷川哲子	(2009)	ひつじ書房

▼ 資料

『日本語能力試験出題基準』改訂版	国際交流基金、日本国際教育支援協会編著	(2007)	凡人社

▼ 参考書

『日本語のシンタクスと意味 II』	寺村秀夫	(1984)	くろしお出版
『誤文の分析と研究―日本語学への提言―』	森田良行	(1985)	明治書院
『ケーススタディ日本文法』	寺村秀夫	(1987)	おうふう
『現代の助詞・助動詞』	国立国語研究所	(1987)	秀英出版
『命題の文法』	益岡隆志	(1987)	くろしお出版
『助動詞』（外国人のための日本語例文・問題シリーズ）	北川千里、井口厚夫	(1988)	荒竹出版
『接続の表現』（外国人のための日本語例文・問題シリーズ）	横林宙世、下村彰子	(1988)	荒竹出版
『日本語文法入門』	吉川武時	(1989)	アルク
『日本語の時制とアスペクト』	町田健	(1989)	アルク
「複文文型」『談話の研究と教育 2』	北条淳子	(1989)	国立国語研究所
『テンス・アスペクト・ムード』（外国人のための日本語例文・問題シリーズ）	加藤泰彦、福地務	(1989)	荒竹出版
『日本語表現文型』	森田良行、松木正恵	(1989)	アルク
『基礎日本語辞典』	森田良行	(1989)	角川書店
『基礎日本語文法』	益岡隆志、田窪行則	(1989)	くろしお出版
『日本語のモダリティ』	仁田義雄、益岡隆志	(1989)	くろしお出版
『中・上級日本語教科書文型索引』	駒田聡　ほか	(1990)	くろしお出版
『モダリティの文法』	益岡隆志	(1991)	くろしお出版
『日本語のモダリティと人称』	仁田義雄	(1991)	ひつじ書房
『日本語の条件表現』	益岡隆志編	(1993)	くろしお出版
『意味上の言語単位・試論「どうってことない」は辞書にあるか』	有賀千佳子	(1994)	くろしお出版
『日本語の主題と取り立て』	益岡隆志、野田尚史、沼田善子編	(1995)	くろしお出版
『複文の研究』（上・下）	仁田義雄編	(1995)	くろしお出版
『日本語類義表現の文法』（上・下）	宮島達夫、仁田義雄編	(1995)	くろしお出版
『日本語の視点』	森田良行	(1995)	創拓社
『辞書で引けない日本語文中表現』	河原崎幹夫監	(1995)	北星堂書店
『学習者の発想による日本語表現文型例文集』	坂本正編著	(1996)	凡人社
『日本語教師のための現代日本語表現文典』	生田目弥寿編著	(1996)	凡人社
『日本語文法辞典【中級編】』	Seiichi Makino、Michio Tsutsui	(1995)	The Japan Times
『日本語誤用例文小辞典』	市川保子	(1997)	凡人社
『教師と学習者のための日本語文型辞典』	グループ・ジャマシイ編著	(1998)	くろしお出版
『続・日本語誤用例文小辞典―接続詞・副詞―』	市川保子	(2000)	凡人社
『中上級を教える人のための日本語文法ハンドブック』	白川博之監、庵功雄　ほか	(2001)	スリーエーネットワーク
『日本語運用文法―文法は表現する―』	阪田雪子編	(2003)	凡人社
『実践 にほんご指導見なおし本 機能語指導編』	K.A.I.T 編著	(2003)	アスク
『中級日本語文法と教え方のポイント』	市川保子	(2007)	スリーエーネットワーク
『現代日本語文法 6 複文』	日本語記述文法研究会編	(2008)	くろしお出版
『現代日本語文法 2 格と構文・ヴォイス』	日本語記述文法研究会編	(2009)	くろしお出版

友松 悦子（ともまつ・えつこ）

『新装版 どんなときどう使う 日本語表現文型辞典』（アルク 共著）、『改訂版 どんなときどう使う 日本語表現文型200』（アルク 共著）、『改訂版 どんなときどう使う日本語表現文型500 短文完成練習帳』（アルク 共著）、『初級日本語文法総まとめポイント20』（スリーエーネットワーク 共著）、『中級日本語文法要点整理ポイント20』（スリーエーネットワーク 共著）、『小論文への12のステップ』（スリーエーネットワーク）、『新完全マスター文法日本語能力試験N1』、『同N2』、『同N3』『同N4』（スリーエーネットワーク 共著）など。

宮本 淳（みやもと・じゅん）

『日本語テスト問題集―文法編』（凡人社 共著）、『新装版 どんなときどう使う 日本語表現文型辞典』（アルク 共著）、『改訂版 どんなときどう使う 日本語表現文型200』（アルク 共著）、『改訂版 どんなときどう使う日本語表現文型500 短文完成練習帳』（アルク 共著）、『チャレンジ日本語〈読解〉』（国書刊行会 共著）など。

和栗 雅子（わくり・まさこ）

『新装版 どんなときどう使う 日本語表現文型辞典』（アルク 共著）、『改訂版 どんなときどう使う 日本語表現文型200』（アルク 共著）、『改訂版 どんなときどう使う日本語表現文型500 短文完成練習帳』（アルク 共著）、『改訂版 日本語の教え方ABC』（アルク 共著）、『チャレンジ日本語〈読解〉』（国書刊行会 共著）、『実力日本語（上）練習帳』（東京外国語大学留学生センター編著〈共著〉）、『新訂版 読むトレーニング 日本留学試験対応』（基礎編及び応用編）（スリーエーネットワーク 共著）、『初級日本語文法総まとめポイント20』（スリーエーネットワーク 共著）、『中級日本語文法要点整理ポイント20』（スリーエーネットワーク 共著）など。

改訂版 どんなときどう使う 日本語表現文型500

発行日	1996年9月20日　（初版）
	2010年6月25日　（改訂版）
	2024年10月7日　（改訂版第15刷）

著者	友松 悦子、宮本 淳、和栗 雅子
編集	株式会社アルク日本語編集部
校正	岡田英夫
英語翻訳	ジョン・マクガバン
中国語翻訳	張 文麗
韓国語翻訳	李 明華
装丁・デザイン	應家洋子
DTP	有限会社ギルド
印刷・製本	萩原印刷株式会社
発行者	天野智之
発行所	株式会社アルク
	〒141-0001　東京都品川区北品川6-7-29　ガーデンシティ品川御殿山
	Website : https://www.alc.co.jp/

- 落丁本、乱丁本は弊社にてお取り替えいたしております。
  Webお問い合わせフォームにてご連絡ください。
  https://www.alc.co.jp/inquiry
- 本書の全部または一部の無断転載を禁じます。
  著作権法上で認められた場合を除いて、本書からのコピーを禁じます。
- 定価はカバーに表示してあります。
- 製品サポート：https://www.alc.co.jp/usersupport/

Ⓒ 2010 Etsuko Tomomatsu/Jun Miyamoto/Masako Wakuri/ ALC PRESS INC.
Printed in Japan.

PC : 7010021
ISBN : 978-4-7574-1890-5

地球人ネットワークを創る
アルクのシンボル「地球人マーク」です。